Mário Mascarenhas

O MELHOR DA MÚSICA POPULAR BRASILEIRA

com cifras para: piano, órgão, violão e acordeon

100 sucessos

VOL. I

Nº Cat.: 218-A

Irmãos Vitale Editores Ltda.
vitale.com.br
Rua Raposo Tavares, 85 São Paulo SP
CEP: 04704-110 editora@vitale.com.br Tel.: 11 5081-9499

© Copyright 1982 by Irmãos Vitale Editores Ltda. - São Paulo - Rio de Janeiro - Brasil.
Todos os direitos autorais reservados para todos os países. *All rights reserved.*

DADOS INTERNACIONAIS DE CATALOGAÇÃO NA PUBLICAÇÃO (CIP)
(Câmara Brasileira do Livro, SP, Brasil)

Mascarenhas, Mário
O Melhor da Música Popular Brasileira : com cifras para piano, órgão, violão e acordeon
Volume 1 / Mário Mascarenhas – São Paulo : Irmãos Vitale

ISBN 85-85188-78-2
ISBN 978-85-85188-78-8

1. Acordeon – estudo e ensino
2. Música – estudo e ensino
3. Música popular (canções etc.) – Brasil
4. Órgão – estudo e ensino
5. Piano – estudo e ensino
6. Violão – estudo e ensino
   I. Título

99-3362   CDD-780.42098107

Índices para catálogo sistemático:
1.   Música Popular Brasileira: estudo e ensino   780.42098107

Mário Mascarenhas

Mário Mascarenhas é o autor desta magnífica
enciclopédia musical, que por certo irá encantar
não só os músicos brasileiros como também os
músicos de todo mundo, com estas verdadeiras e
imortais obras primas de nossa música

Ilustração original da capa - LAN

PREFÁCIO

Como um colar de pérolas, diamantes, safiras, esmeraldas, o Professor Mário Mascarenhas junta, nesta obra, as verdadeiras e imortais obras primas da Música Popular Brasileira, em arranjos para piano mas que também podem ser executados por órgão, violão e acordeon. A harmonização foi feita com encadeamento moderno de acordes.

Quando se escrever a verdadeira História da Música Popular Brasileira, um capítulo terá de ser reservado a Mário Mascarenhas. Em todo o seu trabalho ele só tem pensado na música popular do seu país. Horas a fio pesquisando, trabalhando, escrevendo música, ele se tornou o verdadeiro defensor de nossos ritmos, consagrando-se em todas as obras que já editou de nossa cultura musical.

A coleção, "O MELHOR DA MÚSICA POPULAR BRASILEIRA", compõe-se de 10 volumes contendo cada um 100 sucessos ocorridos nos últimos 60 anos, mostrando tudo o que se compôs no terreno popular desde 1920. Esta extraordinária coleção, contém, no seu total, 1000 músicas populares brasileiras.

A Editora Vitale, que agradece a colaboração das editoras que se fizeram presentes nesta obra, escolheu o Professor Mário Mascarenhas, não só pelo seu extraordinário talento musical demonstrado há mais de quarenta anos, como, também, pela excelência de seus arranjos e pela qualidade que ele imprime ao trabalho que realiza. São arranjos modernos, o que prova a atualidade do Professor, à sua percepção do momento, porque, para ele, os anos se foram apenas no calendário. Mário Mascarenhas continua jovem com seu trabalho, dentro de todos os padrões musicais em melodias que já passaram e de outras que ainda estão presentes.

Mascarenhas diz que o samba, com seu ritmo sincopado e exótico que circula em nosso sangue, atravessa nossas fronteiras e vai encantar outros povos, com sua cadencia e ginga deliciosas. E a música popular brasileira, no seu entender é a alma do povo que traduz o nosso passado através dos seus ritmos sincopados, que herdamos dos cantos langorosos dos escravos trazidos em navios-negreiros, com seus batuques, lundus, maracatus, congadas, tocados e cantados nas senzalas.

Nossa Música Popular se origina também dos cantos guerreiros e danças místicas de nossos índios e principalmente na música portuguesa transmitida pelos jesuítas e colonizadores, como sejam as cantigas de roda, fados e modinhas falando de amor.

Diz ainda o Professor Mascarenhas que a nossa música popular é inspirada também nas valsas, quadrilhas, xotes, marchas e polcas, dançadas pelas donzelas de anquinhas, tudo como se fosse uma exposição de quadros de Debret, pintados com palheta multicor de tintas sonoras.

Hoje, cada vez mais incrustada em nosso sangue, a nova Música Popular Brasileira surge modernizada, com roupagem, estrutura e forma, criados por inúmeros compositores atuais, alicerçados, porém nas velhas raízes popularescas. Os arranjos foram feitos especialmente para esta obra.

A Editora Vitale tem, portanto, orgulho de apresentar "O Melhor da Música Popular Brasileira" em um trabalho do Professor Mário Mascarenhas. Agradecimentos a todos os autores e todas as editoras que vieram colaborar nesta autêntica enciclopédia musical, a primeira que é apresentada no Brasil.

Everardo Guilhon

HOMENAGEM

Dedico esta obra, como uma "Homenagem Póstuma", ao grande incentivador de nossa Música Popular Brasileira, o Sr. Emílio Vitale.

AGRADECIMENTOS

Com o mais alto entusiasmo, agradeço aos meus grandes amigos que colaboraram com tanta eficiência, trabalho e carinho nos arranjos desta obra.

Foram eles: Thomaz Verna, diretor do Departamento Editorial de Irmãos Vitale, a Pianista Professora Belmira Cardoso, o conceituado Maestro José Pereira dos Santos e o notável Maestro e Arranjador Ely Arcoverde.

Numa admirável comunhão de idéias, cada um demonstrou sua competência e entusiasmo, compreendendo o meu pensamento e a minha ânsia de acertar e de realizar este difícil trabalho em prol de nossa Música Popular Brasileira.

À FERNANDO VITALE

Ao terminar esta obra, empolgado pela beleza e variedade das peças, as quais são o que há de melhor de nosso Cancioneiro Popular, deixo aqui minhas palavras de congratulações ao Fernando Vitale, idealizador desta coleção.

Além de me incentivar a elaborar este importante e grande trabalho, Fernando Vitale, foi verdadeiramente dinâmico e entusiasta, não poupando esforços para que tudo se realizasse com esmero e arte.

Ele idealizou e realizou, prevendo que esta coleção seria de grande utilidade para os amantes de nossa Maravilhosa Música Popular Brasileira.

À LARRIBEL E Mº MOACYR SILVA

Aos amigos Larribel, funcionário de Irmãos Vitale e Mº Moacyr Silva, meus agradecimentos pelo imenso trabalho que tiveram na escolha e seleção conscienciosa das peças.

ÀS EDITORAS DE MÚSICA

Não fôra a cooperação e o espírito de solidariedade de todas as EDITORAS, autorizando a inclusão de suas belas e imortais páginas de nossa música, esta obra não seria completa.

Imensamente agradecido, transcrevo aqui os nomes de todas elas, cujo pensamento foi um só: enaltecer e difundir cada vez mais nossa extraordinária e mundialmente admirada MÚSICA POPULAR BRASILEIRA!

ALOISIO DE OLIVEIRA
ANTONIO CARLOS JOBIM
ARY BARROSO
BADEN POWELL
"BANDEIRANTE" EDITORA MUSICAL LTDA
"CARA NOVA" EDITORA MUSICAL LTDA
"CRUZEIRO" MUSICAL LTDA
CARLOS LYRA
CHIQUINHA GONZAGA
EBRAU
"ECRA" REALIZAÇÕES ARTÍSTICAS LTDA
EDIÇÕES "EUTERPE" LTDA
EDIÇÕES "INTERSONG" LTDA

EDIÇÕES MUSICAIS "HELO" LTDA
EDIÇÕES MUSICAIS "MOLEQUE" LTDA
EDIÇÕES MUSICAIS "PÉRGOLA" LTDA
EDIÇÕES MUSICAIS "SAMBA" LTDA
EDIÇÕES MUSICAIS "SATURNO" LTDA
EDIÇÕES MUSICAIS "TAPAJÓS" LTDA
EDIÇÕES MUSICAIS "TEMPLO" LTDA
EDIÇÕES "TIGER" MÚSICA E DISCO LTDA
EDITORA "ARTHUR NAPOLEÃO" LTDA
EDITORA CLAVE MUSICAL LTDA
EDITORA "COPACOR" LTDA
EDITORA DE MÚSICA "INDUS" LTDA
EDITORA DE MÚSICA "LYRA" LTDA
EDITORA "DRINK" LTDA
EDITORA "GAPA-SATURNO" LTDA
EDITORA GRÁFICA E FONOGRÁFICA "MARÉ" LTDA
EDITORA MUSICAL "AMIGOS" LTDA
EDITORA MUSICAL "ARLEQUIM" LTDA
EDITORA MUSICAL "ARAPUÃ" LTDA
EDITORA MUSICAL BRASILEIRA LTDA
EDITORA MUSICAL "PIERROT" LTDA
EDITORA MUSICAL "RCA" LTDA
EDITORA MUSICAL "RCA JAGUARÉ" LTDA
EDITORA MUSICAL "RCA LEME" LTDA
EDITORA MUSICAL "RENASCÊNÇA" LTDA
EDITORA "MUNDO MUSICAL" LTDA
EDITORA "NOSSA TERRA" LTDA
EDITORA "RIO MUSICAL" LTDA
EDITORA MUSICAL "VIÚVA GUERREIRO" LTDA
ERNESTO AUGUSTO DE MATTOS (E. A. M.)
ERNESTO DORNELLAS (CANDOCA DA ANUNCIAÇÃO)
FERMATA DO BRASIL LTDA
"FORTALEZA" EDITORA MUSICAL LTDA
"GRAÚNA" EDIÇÕES MUSICAIS LTDA
GUITARRA DE PRATA INSTRUMENTOS DE MÚSICA LTDA
HENRIQUE FOREIS (ALMIRANTE)
I.M.L. — TUPY — CEMBRA LTDA
ITAIPU EDIÇÕES MUSICAIS LTDA
JOÃO DE AQUINO
"LEBLON" MUSICAL LTDA
"LOUÇA FINA" EDIÇÕES MUSICAIS LTDA
"LUANDA" EDIÇÕES MUSICAIS LTDA
MANGIONE & FILHOS CO. LTDA
MELODIAS POPULARES LTDA
"MUSIBRAS" EDITORA MUSICAL LTDA
"MUSICLAVE" EDITORA MUSICAL LTDA
"MUSISOM" EDITORA MUSICAL LTDA
PÃO E POESIA" EDIÇÕES MUSICAIS LTDA
PAULO CESAR PINHEIRO
RICORDI BRASILEIRA LTDA
"SEMPRE VIVA" EDIÇÕES MUSICAIS LTDA
"SERESTA" EDIÇÕES MUSICAIS LTDA
"TODAMERICA" MÚSICA LTDA
"TONGA" EDITORA MUSICAL LTDA
"TRÊS MARIAS" EDITORA MUSICAL LTDA
"TREVO" EDITORA MUSICAL LTDA

Mário Mascarenhas

Índice

	Pág.
ABISMO DE ROSAS - Valsa - Américo Jacobino (Canhoto) e João do Sul	56
ÁGUAS DE MARÇO - Antonio Carlos Jobim	238
ALEGRIA, ALEGRIA - Caetano Veloso	18
AMANTE A MODA ANTIGA - Roberto Carlos e Erasmo Carlos	221
AMIGO - Roberto Carlos e Erasmo Carlos	16
A NOITE DO MEU BEM - Dolores Duran	100
APANHEI-TE, CAVAQUINHO - Choro - Ernesto Nazareth e Ubaldo Maurício	45
APÊLO - Samba Canção — Baden Powell e Vinícius de Moraes	102
AQUARELA DO BRASIL - Samba estilizado - Ary Barroso	34
ARROMBOU A FESTA - Rita Lee e Paulo Coelho	38
AS ROSAS NÃO FALAM - Cartola	178
ATRÁS DA PORTA - Samba Canção - Chico B. de Hollanda e Francis Hime	182
BACHIANAS BRASILEIRAS N° 5 - Villa Lobos e David Nasser	180
BOA NOITE AMOR - Valsa - José Maria Abreu e Francisco Mattoso	236
BOATO - Samba - João Roberto Kelly	59
CAÇADOR DE MIM - Toada Canção - Luiz Carlos de Sá e Sergio Magrão	234
CAFÉ DA MANHÃ - Roberto Carlos e Erasmo Carlos	171
CANÇÃO QUE MORRE NO AR - Carlos Lyra e Ronaldo Boscoli	242
CARCARÁ - Samba - João do Vale e José Cândido	200
CARINHOSO - Choro - Pixinguinha e João de Barro	206
CAROLINA - Samba - Chico B. de Hollanda	70
CHÃO DE ESTRELAS - Valsa Canção - Silvio Caldas e Orestes Barbosa	127
CIDADE MARAVILHOSA - Marcha - André Filho	132
CONCEIÇÃO - Samba - Jair Amorim e Dunga	68
DÁ NELA - Marcha - Ary Barroso	130
DE CONVERSA EM CONVERSA - Samba - Lúcio Alves e Haroldo Barbosa	232
DEUSA DA MINHA RUA - Valsa - Newton Teixeira e Jorge Faraj	153
DISSE ME DISSE - Samba - Pedro Caetano e Claudionor Cruz	160
DORINHA, MEU AMOR - Samba - José Francisco de Freitas	10
DUAS CONTAS - Samba - Garoto	64
EMOÇÕES - Roberto Carlos e Erasmo Carlos	62
ESMERALDA - Samba Canção - Filadelfo Nunes e Fernando Barreto	224
ESSES MOÇOS - Samba - Lupicínio Rodrigues	250
ESTÃO VOLTANDO AS FLORES - Marcha Rancho - Paulo Soledade	147
ESTRADA DA SOLIDÃO - Samba Canção - Mário Mascarenhas	78
FESTA DO INTERIOR - Moraes Moreira e Abel Silva	73
FIM DE SEMANA EM PAQUETÁ - Samba Canção - J. de Barro e A. Pinto	138
FIO MARAVILHA - Jorge Ben	135
FLOR AMOROSA - Catullo da Paixão Cearense e J. A. S. Callado	218
FOLHAS SECAS - Samba - Nelson Cavaquinho e Guilherme de Brito	158
GAROTA DE IPANEMA - A. C. Jobim e Vinícius de Moraes	31
GENTE HUMILDE - Canção - C. B. de Hollanda, V. de Moraes e Garoto	174
GOSTO QUE ME ENROSCO - Samba - J. B. Silva (Sinhô)	244
INFLUÊNCIA DO JAZZ - Samba Bossa - Carlos Lyra	150
JANGADEIRO (HISTÓRIA TRISTE DE UMA PRAIEIRA) - Stefana Macedo	156
JANUÁRIA - Samba - Chico Buarque de Hollanda	80
JURA - Samba - J. B. Silva (Sinhô)	85
LADY LAURA - Roberto Carlos e Erasmo Carlos	82

	Pág.
LÁGRIMAS DE VIRGEM - Valsa - Luiz Americano e Milton Amaral	115
LATA D'ÁGUA - Samba - Luiz Antônio e Jota Junior	122
LIGIA - Antonio Carlos Jobim	195
LUAR DO SERTÃO - Canção - Catullo da Paixão Cearense	192
LUIZA - Valsa Canção - Antônio Carlos Jobim	198
MARVADA PINGA - Baião Rasqueado - Ochelsis Laureano e Raul Torres	91
MATRIZ OU FILIAL - Samba - Lúcio Cardim	246
MEU BEM QUERER - Djavan	190
MEUS TEMPOS DE CRIANÇA - Ataulpho Alves	254
MODINHA - Sérgio Bittencourt	188
NA PAVUNA - Samba da Auxiliar - Candoca da Anunciação e Almirante	120
NÃO DÁ MAIS PRÁ SEGURAR - (EXPLODE CORAÇÃO) - Canção - Gonzaguinha	168
NÃO EXISTE PECADO AO SUL DO EQUADOR - Chico B. de Hollanda e Ruy Guerra	209
NÃO IDENTIFICADO - Caetano Veloso	215
NOSSOS MOMENTOS - Samba - Luis Reis e Haroldo Barbosa	66
Ó ABRE ALAS - Marcha Rancho - Chiquinha Gonzaga	8
O BÊBADO E A EQUILIBRISTA - João Bosco e Aldir Blanc	185
O MORRO NÃO TEM VEZ - Samba - A. C. Jobim e Vinícius de Moraes	252
ONDE ANDA VOCÊ - Bolero - Toquinho e Vinícius de Moraes	106
OS SEUS BOTÕES - Roberto Carlos e Erasmo Carlos	248
O TEU CABELO NÃO NEGA - Marcha - Irmãos Valença e Lamartine Babo	226
PARALELAS - Belchior	203
PELA LUZ DOS OLHOS TEUS - Valsa - Vinícius de Moraes	20
PELO TELEFONE - Dunga e Mauro de Almeida	12
PÉTALA - Djavan	166
PRELÚDIO PRÁ NINAR GENTE GRANDE - Luiz Vieira	164
QUANDO VIM DE MINAS - Partido Alto - Xangô	94
REFÉM DA SOLIDÃO - Baden Powell e Paulo Cesar Pinheiro	96
REGRA TRÊS - Samba - Toquinho e Vinícius de Moraes	212
ROMARIA - Renato Teixeira	140
RONDA - Samba Canção - Paulo Vanzolini	230
SAMBA EM PRELÚDIO - Baden Powell e Vinícius de Moraes	176
SE ELA PERGUNTAR - Valsa - Dilermano Reis e Jair Amorim	144
SEI LÁ MANGUEIRA - Paulinho da Viola e Hermínio B. de Carvalho	22
SERRA DA BOA ESPERANÇA - Samba Canção - Lamartine Babo	124
SERTANEJA - Canção - Renê Bittencourt	104
SE TODOS FOSSEM IGUAIS A VOCÊ - A. C. Jobim e Vinícius de Moraes	88
SÓ DANÇO SAMBA - A. C. Jobim e Vinícius de Moraes	76
SONS DE CARRILHÕES - João Pernambuco	228
SUBINDO AO CÉU - Valsa - A. M. Borges	112
TERNURA ANTIGA - Samba Canção - J. Ribamar e Dolores Duran	118
TICO-TICO NO FUBÁ - Choro - Zequinha Abreu e Eurico Barreiros	42
TRAVESSIA - Milton Nascimento e F. Rocha Brant	48
TREM DAS ONZE - Samba - Adoniran Barbosa	142
TROCANDO EM MIÚDOS — Francis Hime e Chico Buarque de Hollanda	26
TUDO ACABADO — Samba — J. Piedade e Osvaldo Martins	52
ÚLTIMO DESEJO - Samba - Noel Rosa	28
ÚLTIMO PAU DE ARARA - Samba Venâncio, Corumba e J. Guimarães	110
VALSINHA - Chico Buarque de Hollanda e Vinícius de Moraes	108
VASSOURINHAS - Frevo - Matias da Rocha e Joana B. Ramos	50
VERA CRUZ - Milton Nascimento	162
VIAGEM - João de Aquino e Paulo Cesar Pinheiro	54

Ó Abre-Alas

Marcha - Rancho

Chiquinha Gonzaga

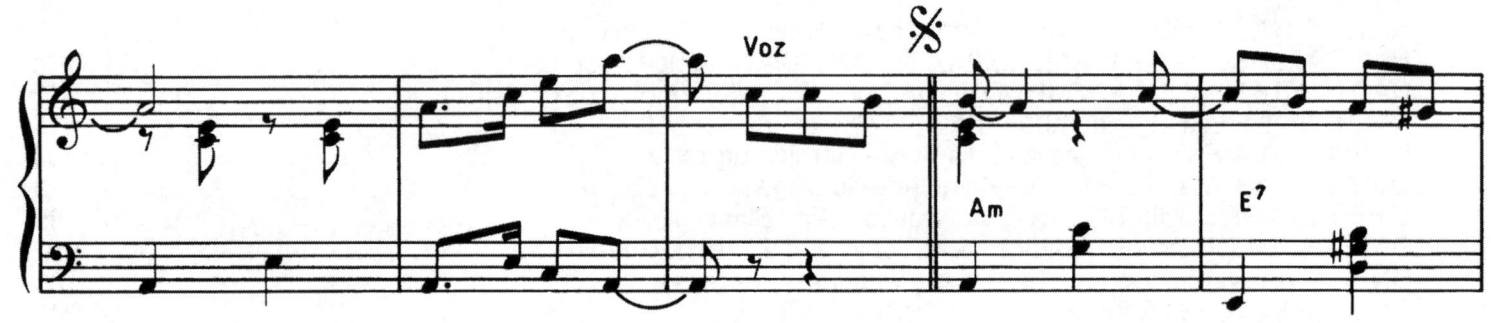
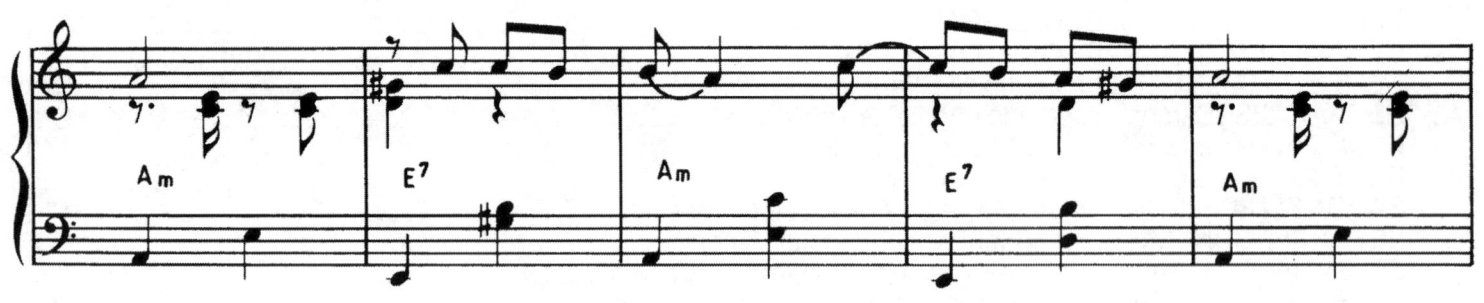

Domínio publico

TOM — LÁ MENOR
Am E7 Am

Introdução: Am E7 Am E7 Am

I

E7   Am
   Ó Abre-Alas!
   E7   Am
Que eu quero passar
E7   Am
   Ó Abre-Alas!
   E7   Am
Que eu quero passar
      Dm7
Eu sou da Lira
G7   Am
Não posso negar
     Dm
      F
Eu sou da Lira
   E7   Am
Não posso negar

II

E7   Am
   Ó Abre-Alas!
   E7   Am
Que eu quero passar
E7   Am
   Ó Abre-Alas!
   E7   Am
Que eu quero passar
      Dm7
Rosa de Ouro
G7   Am
E quem vai ganhar
     Dm
      F
Rosa de Ouro
   E7   Am
E quem vai ganhar.

Dorinha, meu amor

Samba

José Francisco de Freitas

© Copyright 1957 by Rio Musical Ltda. (Fermata)
Todos os direitos reservados - All rights reserved

TOM — Mlb MAIOR

Eb— Bb7 Eb

Introdução: Bb7 Eb F7 Bb7 Eb Bb7 Eb Bb C Bb7 Eb   *Cm F7*

Bis { C9-
   Bb7   Eb
   Dorinha, meu amor
   Gm   Cm   Fm
   Porque me fazes chorar
      Fm
   Eu sou um pecador
        Bb7   Eb Bb7
   Eu sofro só por te amar
                    Eb
   2.ª vez: amar

  Ab7   G7
Não sei qual a razão
        Cm   Cm7
Que eu sofro tanto assim
 Dm5— G7   Cm
Castigo sim, castigo sim
 Dm5—
Imploro a Deus
 G7   Cm   Cm7
Para vencer o teu amor
  Fm   Dm5— G7   Cm
Do meu amor   amor

Pelo telefone

Samba

Donga e
Mauro de Almeida

© Copyright 1974 by Editora Musical R.C.A. Leme Ltda.

TOM — SOL MAIOR
G D7 G

Introdução: G Am D7 G

Bis {
    G   C7M   G
    O Chefe de Polícia pelo telefone
             Am   Am7
    Mandou me avisar
  D7   Am7   D7
    Que na Carioca tem uma roleta
        Bm7 Am7
    Para se jogar
                G
    2.ª vez: jogar

Bis {
    G   D7
    Ai, ai, ai, deixa as mágoas para trás ô rapaz
    D7   G
    Ai, ai, ai, fica triste se és capaz e verás

    G   Am7
Tomara que tu apanhes
  D7   G
Pra nunca mais fazer isso
  Em   Am
Roubar amor dos outros
  D7   G
E depois fazer feitiço.

    Am7   D7
Olha a rolinha, sinhô, sinhô
  G   Em
Se embaraçou, sinhô, sinhô
  Am   D7
Caiu no laço, sinhô, sinhô
  G
Do nosso amor, sinhô, sinhô
    C   D7
Porque este samba, sinhô, sinhô
  G
É de arrepiar, sinhô, sinhô
  Am   D7
Põe perna bamba, sinhô, sinhô
  G
Mas faz gozar.

Bis {
     C7M G
    O perú me disse
                       Am
    Se você dormisse não fazer tolice
  D7   Am7   D7
    Que eu não saísse dessa esquisitice
             G
    Do disse me disse

Bis {
    G   D7
    Ai, ai, ai, deixa as mágoas para trás ô rapaz
    D7   G
    Ai, ai, ai, fica triste se és capaz e verás

    Am   D7
Queres ou não, sinhô, sinhô
  G   Em7
Ir pro cordão, sinhô, sinhô
  Am7   D7
Ser folião, sinhô, sinhô
  G
De coração, sinhô, sinhô
    C
Porque este samba, sinhô, sinhô
    G   D7
É de arrepiar, sinhô, sinhô
  Am   D7
Põe perna bamba, sinhô, sinhô
  G
Me faz gozar.

Amigo

Roberto Carlos
e Erasmo Carlos

© Copyright 1983 by Editora Musical Amigos Ltda.
© Copyright 1983 by Ecra Realizações Artísticas Ltda.
Todos os direitos autorais reservados - All rights reserved.

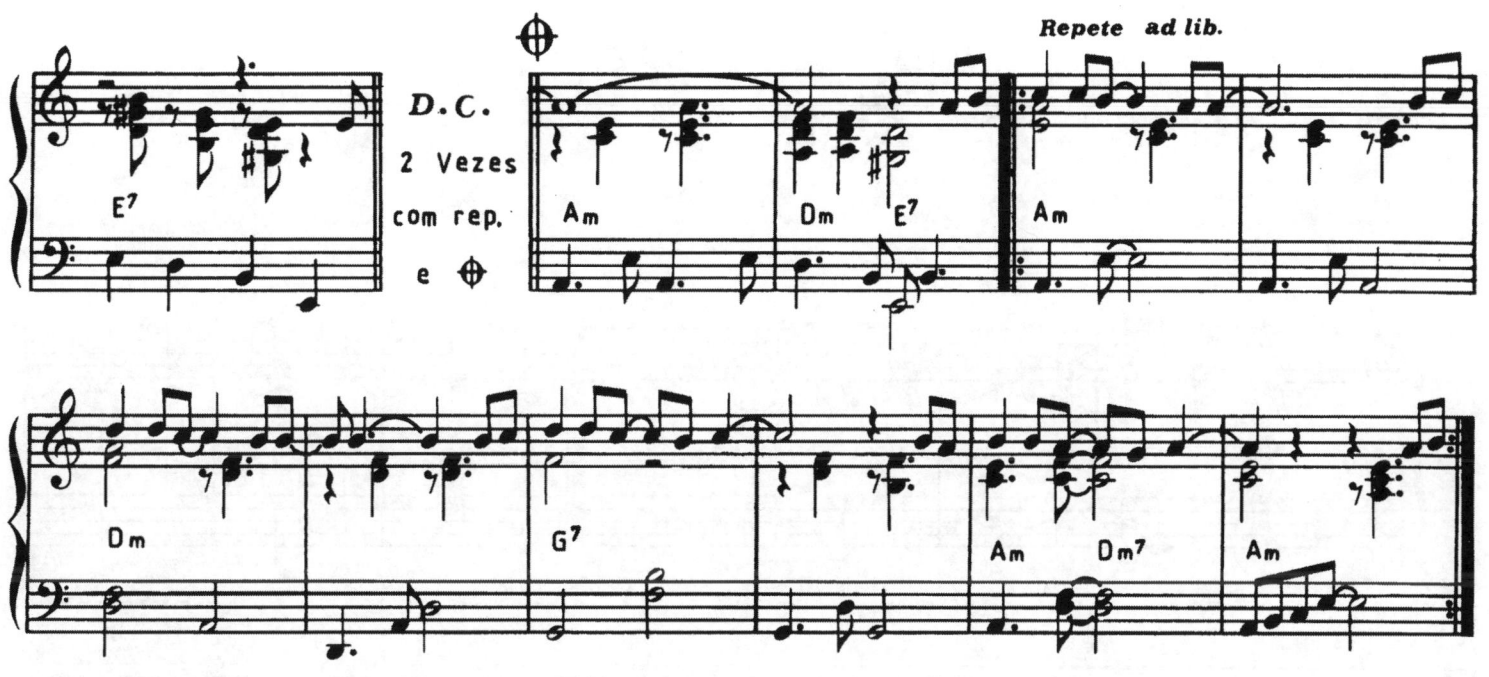

TOM — LÁ MENOR
Am E7 Am

Introdução: Am Dm7 G7 Am Bm7 E7

    Am
Você, meu amigo de Fé
             Dm
Meu irmão, camarada
G7   C
Amigo de tantos caminhos e tantas jornadas
F   Dm
Cabeça de homem mas o coração de menino
E7
Aquele que está do meu lado em qualquer
          Am   E7
Caminhada
Am
Me lembro de todas as lutas meu bom
Dm
Companheiro
G7
Você tantas vêzes provou que é um grande
  C
Guerreiro
F   Dm
O seu coração é uma casa de portas abertas
E7   Am   Am E7
Amigo você é o mais certo das horas incertas
Am   Dm
Às vêzes em certos momentos difíceis da vida
G7   C
Em que precisamos de alguém prá ajudar na saída
F   Dm
A sua palavra de força, de fé e de carinho,
E7   Am   E7
Me dá a certeza de que eu nunca estive sozinho

    Am
Você meu, amigo de fé,
             Dm
Meu irmão, camarada,
G7   C
Sorriso e abraço festivo da minha chegada
F   Dm
Você que me diz as verdades com frases abertas
E7   Am Dm E7
Amigo, você é o mais certo das horas incertas
                  Am
Não preciso nem dizer
              Dm
Tudo isto que lhe digo
           G7
Mas é muito bom saber
         Am Dm7 Am
Que você é meu amigo
                Am
Não preciso nem dizer
            Dm
Tudo isto que lhe digo
           G7
Mas é muito bom saber
       Am   Dm7 Am
Que eu tenho um grande amigo
              Am
Não preciso nem dizer
           Dm
Tudo isso que lhe digo
          G7
Mas é muito bom saber
       Am Dm7 Am
Que você é meu amigo

Alegria, Alegria

Caetano Veloso

TOM — SOL MAIOR

G D7 G

Introdução: G C/D G C

           G   C
Caminhando contra o vento
       D7   G
Sem lenço, sem documento
                  C
No sol de quase dezembro
 F   D7
Eu vou.

G   G   C
O sol se reparte em crimes,
    D7   G
Espaçonaves, guerrilhas
          C
Em Cardinales bonitas
 F   D7
Eu vou

       C
G   D   G
Em caras de presidentes,
         C   G
Em grandes beijos de amor,
          C   G
Em dentes, pernas, bandeiras,
              C
C   D G
Bomba e Brigitte Bardot
 G   Dm7 G Em
(O sol nas bancas d e r e v i s t a
        A7   Em
Me enche de alegria e preguiça:
   Em7   F
Quem lê   tanta notícia?)
 C
Eu vou
       Am   Dm7
Por entre fotos e nomes
       G7   C
Os olhos cheios de côres
       C7   F
O peito cheio de amores
 F   D7
Vãos
 G
Eu vou.

         C   G
Por que não? Por que não?
       G   C
(Ela pensa em casamento
             D7   G
E eu nunca mais fui à escola)
                 C
Sem lenço, sem documento
 F D7
Eu vou,
        G   C
Eu tomo uma coca-cola
      D7   G
(Ela pensa em casamento)
               C
E uma canção me consola,
 F   D7
Eu vou.

        C
        D   G
Por entre fotos e nomes,
     C   G
Sem livros e sem fuzil.
     C
     D   G
Sem fome, sem telefone
            C
C   D G
No coração do Brasil
 G   Dm7 G Em
(Ela nem sabe — até   pensei
            A7   Em
Em cantar na televisão).
 Em7   F
O sol   é tão bonito
  C
Eu vou.
         Am   Dm7
Sem lenço sem documento,
       G7   C
Nada no bolso ou nas mãos,
      C7   F
Eu quero seguir vivendo,
 F   D7
Amor.
 G
Eu vou
        C   G
Por que não? Por que não?

Pela luz dos olhos teus

Valsa

Vinicius de Moraes

TOM — SOL MAIOR
G   D7   G

Introdução: Bm7   E7   Am9   D9-

G7M   G#o
Quando a luz dos olhos meus
        Am7
E a luz dos olhos teus
              D7
Resolvem se encontrar
Am7   D7
Ai   que bom que isso é meu Deus
              G
Que frio que me dá
O encontro desse olhar
Dm   G7
Mas se a luz dos olhos teus
              C7M
Resiste aos olhos meus
              Cm6
Só prá me provocar
C
D   D7
Meu amor juro por Deus
              G
Me sinto incendiar

Bb   Gm
Meu amor juro por Deus
                  Cm
Que a luz dos olhos meus
                G5+
Já não pode esperar
Cm   F7
Quero a luz dos olhos meus
              Bb
Na luz dos olhos teus
Sem mais lara la ra
Fm   Bb7
Pela luz dos olhos teus
              Eb7M
Eu acho meu amor
              Ebm6
E só se pode achar
Cm   F7
Que a luz dos olhos meus
       Bb
Precisa se casar.

Sei lá Mangueira

Samba

Paulinho da Viola e
Hermínio Bello de Carvalho

TOM — FÁ MAIOR
F C7 F

Introdução: F G/F (fazer 4 compassos de Ritmo, antes da Melodia)

Bb7M   F
  Vista assim do alto
      Dm7   Am7
  Mais parece o céu no chão
D7   Gm D9- Gm
  Sei lá
      D7   Am7
  Em Mangueira a poesia
      D7   Gm   Am7 Gm
  Feito um mar se alastrou
               Bb
    C7   F   C
  E a beleza do lugar
      F
  Prá se entender
Am7   Gm
  Tem que se achar
F7M   Am7   D7   Gm
  Que a vida não é só isso que se vê
C9-   F   Bb7M
  É um pouco mais
      F   Bb7M C7 F7M
  Que os olhos não conseguem   perceber
D7   Gm D7   Gm
  E as mãos   não ousam tocar
C7   F7M C13   F   Bb7
  E os pés   recusam pisar
    F
  Sei lá, não sei
Bb7M   Am7   D7
  Sei lá, não sei
    Gm7   C7
  Não sei se toda beleza
             Gm C7
  De que lhes falo
F7M   C7   F C13   F
  Sai tão somente do meu coração.

            Dm   Gm
  Em Mangueira a poesia
D7   D9-   Gm7 C7
  Num sobe desce constan—te
Gm   C7   Gm7 C7
  Anda descalço ensinan—do
Gm   C7   F
  Um modo novo da gente viver
                   Gm7
Bb7M   F7M   C   C7 F
  De pensar, de sonhar, de sofrer
Bb7M   F7M
  Sei lá, não sei
Bb7M   Am7   D7
  Sei lá, não sei
       Am7 Dm9 Gm7 C7
  A Mangueira é tão gran—de
Gm7   C9- F
  Que nem cabe explicação.

     F7M   C13
  Sei lá, não sei
     F7M   C9-
  Sei lá, não sei

Trocando em miudos

Francis Hime
e Chico Buarque de Hollanda

© Copyright 1977 by Cara Nova Editora Musical Ltda.
Todos os direitos autorais reservados — All rights reserved

TOM — DÓ MAIOR
C   G7   C
         F   9-
Introdução: G   G13   C7M

                      Bb
       Gm7   C   F7M
Eu vou lhe deixar a medida do Bonfim
   Fm   G5+
Não me valeu

             Gm
C7M   Cb9   C   F7M
Mas fico com o disco do Pixinguinha, sim?
    Fm   G13
O resto é seu

Cm   Cm   Cb
Eb   Cm   Bb   A
Trocando em miudos pode guardar
          G5+   Cm
As sobras de tudo que chamam lar
         Cm
   Bb   Am7
As sombras de tudo que fomos nós
    D7   G7M
As marcas do amor nos nossos lençóis
    D7   G13   C7M
As nossas melhores lembranças
 C$_6^9$
           Bb
      Gm   C   F7M
Aquela esperança de tudo se ajeitar
   Fm   G13
Pode esquecer
C7M   Gm   C9   F7M
Aquela aliança você pode empenhar
   Fm   G13
Ou derreter

                            Cb
Cm   Cm7   A
Mas devo dizer que não vou lhe dar
           G5+   Cm
O enorme prazer de me ver chorar
           Cm
      Bb   Am7 D7
Nem vou lhe cobrar pelo seu estrago
      Am7 D7   Dm7 G7   Dm7 G13
Meu peito   tão dila   — cerado
                   Bb
  C7M Gm7   C   F7M
Aliás aceite uma ajuda do seu futuro amor
  Fm   G13
Pró aluguel
C7M   Gm   C7 F7M
Devolva o Neruda que você me tomou
   Fm   G13
E nunca leu
                        Cb
Cm   Cm7
Eu bato o portão sem fazer alarde
          G5+   Cm
Eu levo a carteira de identidade
    Bb   D13
Uma saideira, muita saudade
                              11
    G5+   Cm Fm9 Cm9
E a leve impressão de que já vou tarde

Último Desejo

Samba

Noel Rosa

TOM — SOL MENOR
Gm D7 Gm

Introdução: Em7 A6 A7 D9- Gm7 Am5- D7

Gm   Cm7
Nosso amor que eu não esqueço

   Bbm7 Bbm6 A4
E que teve seu começo

      D9—
       A   Cm7   Gm9 Cm6
Numa festa de São João

Gm7   F
Morre hoje sem foguete

      F7   Bbm7
Sem retrato e sem bilhete

     Eb7   D7
Sem luar sem violão

G7   C9-   Cm
Perto de você me calo

Cm7 Bbm7 Bbm6 Am7
Tudo penso nada falo

                   Fm   9
G7   Cm7   Ab G7   G5+
Tenho medo de chorar

Cm7   Am5-   A° Gm7
Nunca mais quero seu beijo

Eb7   Ab7
Mas meu último desejo

D7   G Em7 Em9 Am9 D7
Você não pode negar.

G7M   Bm7   Em7 A7
Se alguma pessoa amiga

         D7
Am7   9   Am7
Pedir que você lhe diga

     D7   G   Am5— D7
Se você me quer ou não

Gm7   F7
Diga que você me adora

F7   F9   Bbm7
Que você lamenta e chora

Eb7   Am7   D7
A nossa separação

G7M   Bm7   Em7 A7
As pessoas que eu detesto

       D7   Am7
Diga sempre que eu não presto

                          9-
         D7   G   G5+
Que o meu lar é um botequim

              G9
      Cm   B
Em7   Que eu arruinei sua vida
BIS   A13
      Que eu não mereço a comida

      C   Eb
      D   F G7M
Que você pagou prá mim

Garota de Ipanema

Antonio Carlos Jobim
e Vinicius de Moraes

© Copyright 1975 by Tonga Editora Musical Ltda. (parte 50% de Vinicius de Moraes)
Todos os direitos reservados - All rights reserved.

TOM — FÁ MAIOR
F   C7   F

Introdução: F7M   Gb7M   F7M   C9+

F7M
Olha que coisa mais linda
            G7
Mais cheia de graça
                    Gm7
É ela menina que vem e que passa
           Gb7   F7M Gb7
Num doce balanço, caminho do mar...
F7M   G7
Moça do corpo dourado, do sol de Ipanema
                            Gm7
O seu balançado é mais que um poema
         Gb7
É a coisa mais linda
              9
          FM7 F7M
Que eu já vi passar...
Gb7M   Cb7
Ah!   Porque estou tão sozinho
F#m7   D7
Ah!   Porque tudo é tão triste
Gm7   Eb9
Ah! A beleza que existe
    Am   D7
A beleza que não é só minha
Gm7   D9
Que também passa sozinha
F7M
Ah! Se ela soubesse
          G7
Que quando ela passa
O mundo sorrindo
        Gm7
Se enche de graça
       Gb7
E fica mais lindo
            F7M
Por causa do amor
Gb7   F7M
Por causa do amor
Gb7   A7M
Por causa do amor

Aquarela do Brasil

Samba Estilizado

Ary Barroso

© Copyright 1939 by Irmãos Vitale S/A. Ind. e Com.
Todos os direitos autorais reservados para todos os países — All rights reserved

TOM — FÁ MAIOR
F C7 F

Introdução: Gm7 G#º $\overset{F}{A}$ D9- C5+

$\overset{F}{\text{Brasil!}}$
$\overset{Dº}{\text{Meu Brasil brasileiro}}$
$\overset{F}{\text{Meu mulato inzoneiro}}$
Vou cantar-te nos meus $\overset{Eb9\ \ D7}{\text{v e r s os}}$
$\overset{Gm7}{\text{Ô Brasil,}}\ \overset{C7}{\text{samba}}\ \overset{Gm7}{\text{que dá}}$
Bomboleio, $\overset{C7}{\text{que faz}}\overset{Gm7}{\text{ gingá}}$
Ô Brasil, $\overset{C7}{\text{do meu}}\overset{Gm7}{\text{ amor}}$
Terra de $\overset{C7}{\text{Nosso}}\overset{F7M}{\text{ Senhor}}\overset{Dm9}{}$
$\overset{Gm}{\text{Brasil!}}$
$\overset{C7}{}\ \overset{F7M}{\text{Brasil!}}$
$\overset{Gm7}{\text{Pra mim...}}$
$\overset{C7}{}\ \overset{F7M}{\text{Pra mim...}}$

$\overset{F}{\text{Ô abre a cortina do}}\overset{Gm\ \ C9\ Gm\ \ C7}{\text{ passado}}$
$\overset{Gm}{}\ \overset{C7}{\text{Tira a}}\overset{Gm}{\text{ mãe}}\overset{C7}{\text{ preta}}\overset{Gm}{\text{ do}}\overset{C7\ Gm\ C7}{\text{ serrado}}$
$\overset{Gm}{}\ \overset{C7}{\text{Bota o}}\overset{Gm}{\text{ rei}}\overset{C7}{\text{ gongo}}\overset{F}{\text{ no congado}}$
$\overset{Gm\ \ C7\ Gm}{\text{Brasil!}}$
$\overset{C7}{}\ \overset{F7M\ \ F9\ \ E9\ \ Eb9}{\text{Brasil!}}$
$\overset{D9\ \ Am5-\ \ D7\ \ \ \ \ Eb9\ \ \ \ \ \ \ \ \ D7\ \ Am5-}{\text{Deixa...}\ \ \ \ \text{cantar de novo o trovador}}$
$\overset{D7\ \ \ \ \ \ \ \ \ Eb9\ \ \ \ \ \ \ D7\ Am5-}{\text{A merencória luz da lua}}$
$\overset{C}{}$
$\overset{D\ \ \ \ \ \ \ \ \ \ \ \ \ D7\ \ \ \ \ \ \ \ \ \ \ Gm\ \ Gm5+\ \ \ Gm^6\ \ Gm5+}{\text{Toda a canção do meu amor}}$
$\overset{D7\ \ \ Gm7\ Bbm6\ \ \ \ \ \ \ \ \ \ \ \ \ \ \ \ \ Am7\ \ Gm}{\text{Quero\ \ \ \ ver a "sá dona" caminhando}}$
$\overset{F7M\ \ \ \ \ \ \ \ Dm7\ \ \ \ G7}{\text{Pelos salões arrastando}}$
$\overset{Gm\ \ \ \ \ C7\ \ \ \ \ \ F7M}{\text{O seu vestido rendado}}$
$\overset{Gm7}{\text{Brasil!}}$
$\overset{C7}{}\ \overset{F7M\ \ Dm9}{\text{Brasil!}}$
$\overset{Gm7}{\text{Pra mim...}}$
$\overset{C7}{}\ \overset{F7M}{\text{Pra mim...}}$

$\overset{F}{\text{Brasil!}}$
$\overset{Dº}{\text{Terra boa e gostosa}}$
$\overset{F}{\text{A moreninha sestrosa}}$
De olhar $\overset{Eb9\ D7}{\text{indiscreto}}$
$\overset{Gm7}{\text{O Brasil,}}\ \overset{C7}{\text{verde}}\overset{Gm7}{\text{ que dá}}$
Para o mundo $\overset{C7}{\text{ se}}\overset{Gm7}{\text{ admirá}}$
O Brasil $\overset{C7}{\text{do meu}}\overset{Gm7}{\text{ amor}}$
Terra de $\overset{C7}{\text{Nosso}}\overset{F7M}{\text{ Senhor}}\overset{Dm9}{}$
$\overset{Gm}{\text{Brasil!}}$
$\overset{C7}{}\ \overset{F7M}{\text{Brasil!}}$
$\overset{Gm7}{\text{Pra mim...}}$
$\overset{C7}{}\ \overset{F7M}{\text{Pra mim...}}$

$\overset{F}{\text{Ô esse coqueiro que dá}}\overset{Gm\ \ C9\ Gm\ \ C7}{\text{ côco}}$
$\overset{Gm}{}\ \overset{C7}{\text{Oi,}}\overset{Gm}{\text{ onde}}\overset{C7}{\text{ amarro}}\overset{Gm\ C7\ Gm\ C7}{\text{ a minha rêde}}$
$\overset{Gm}{}\ \overset{C7}{\text{Nas}}\overset{Gm}{\text{ noites}}\overset{C7}{\text{ claras}}\overset{F}{\text{ de luar}}$
$\overset{Gm\ \ C7\ Gm}{\text{Brasil!}}$
$\overset{C7}{}\ \overset{F7M\ \ F9\ \ E9\ \ Eb9}{\text{Brasil!}}$
$\overset{D9\ Am5-\ D7\ \ \ \ \ \ \ Eb9\ \ \ \ \ \ \ \ \ \ \ \ \ \ \ \ \ \ D7\ \ \ Am5-}{\text{Ô\ \ \ \ \ oi estas fontes murmurantes}}$
$\overset{D7\ \ \ \ \ \ \ \ \ Eb9\ \ \ \ \ \ \ \ \ D7\ \ Am5-}{\text{Oi onde eu mato minha sêde}}$
$\overset{C}{}$
$\overset{D\ \ \ \ \ \ \ \ \ \ \ \ \ D7\ \ \ \ \ \ \ \ \ Gm\ \ Gm5+\ \ \ \ Gm6\ \ Gm5+}{\text{E onde a lua vem brincar}}$
$\overset{D7\ \ \ Gm7\ Bbm6\ \ \ \ \ \ \ \ \ \ \ \ \ \ \ \ \ \ Am7\ Gm}{\text{Oi,\ \ \ \ \ \ \ esse Brasil lindo e trigueiro}}$
$\overset{F7M\ \ \ \ \ \ \ \ Dm7\ \ \ \ G7}{\text{É o meu Brasil brasileiro}}$
$\overset{Gm\ \ \ \ \ C7\ \ \ \ \ \ F7M}{\text{Terra de samba e pandeiro}}$
$\overset{Gm7}{\text{Brasil!}}$
$\overset{C7}{}\ \overset{F7M\ \ Dm9}{\text{Brasil!}}$
$\overset{Gm7}{\text{Pra mim...}}$
$\overset{C7}{}\ \overset{F7M}{\text{Pra mim...}}$

Arrombou a festa

Rita Lee
e Paulo Coelho

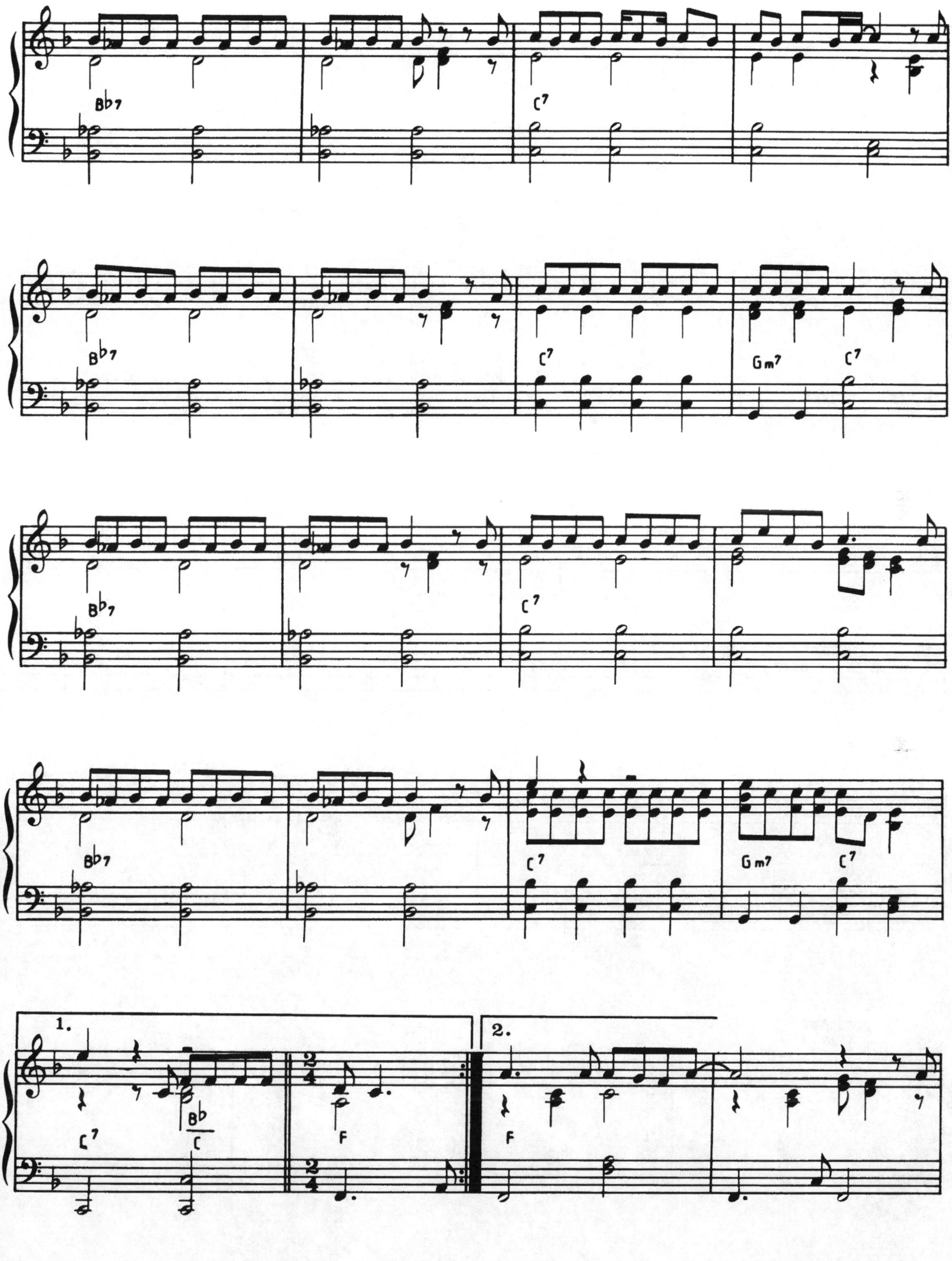
B♭7
C7
B♭7
C7
Gm7
C7
B♭7
C7
B♭7
C7
Gm7
C7
1.
C7
B♭/C
F
2.
F

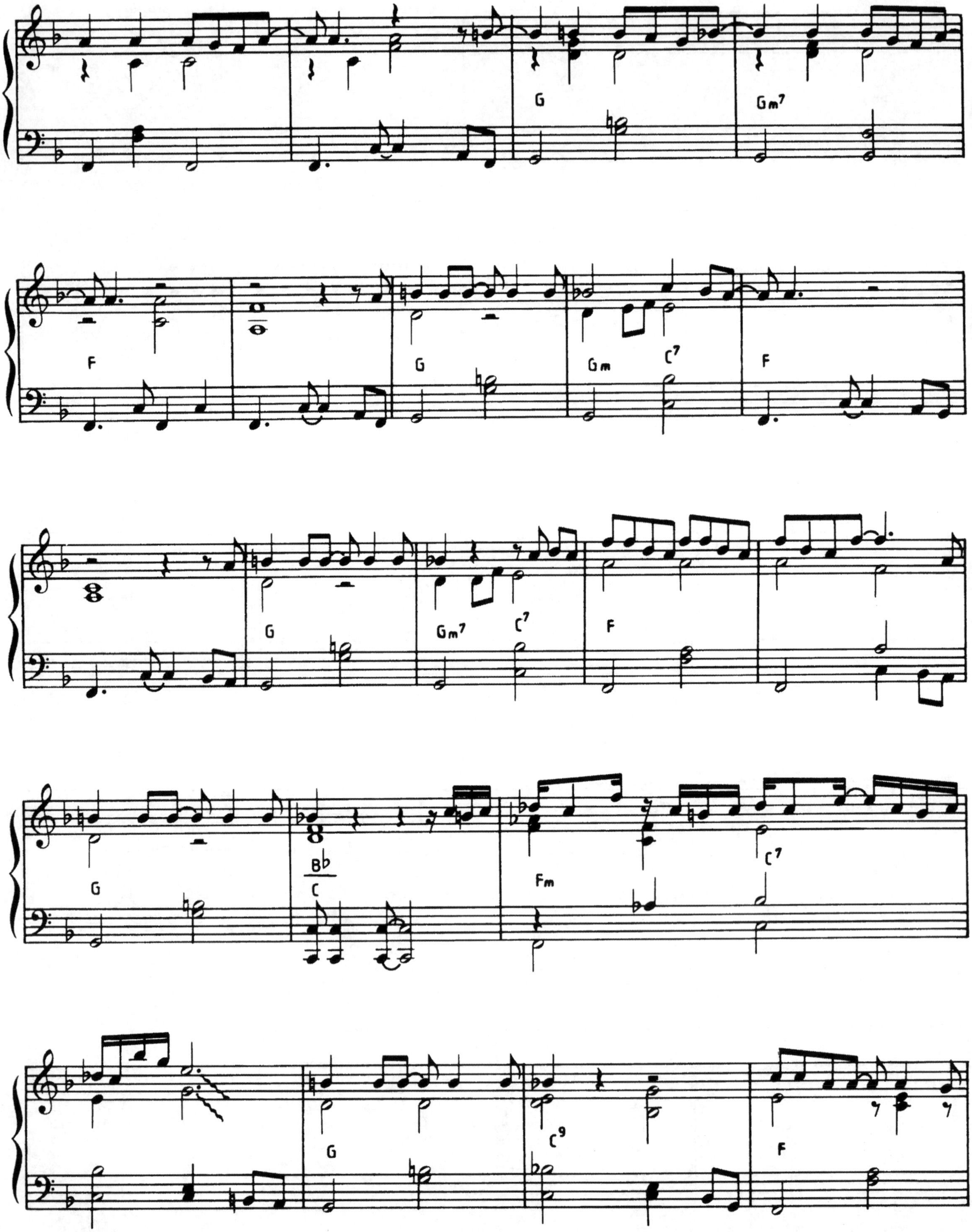
G
Gm7
F
G
Gm
C7
F
G
Gm7
C7
F
G
Bb/C
Fm
C7
G
C9
F

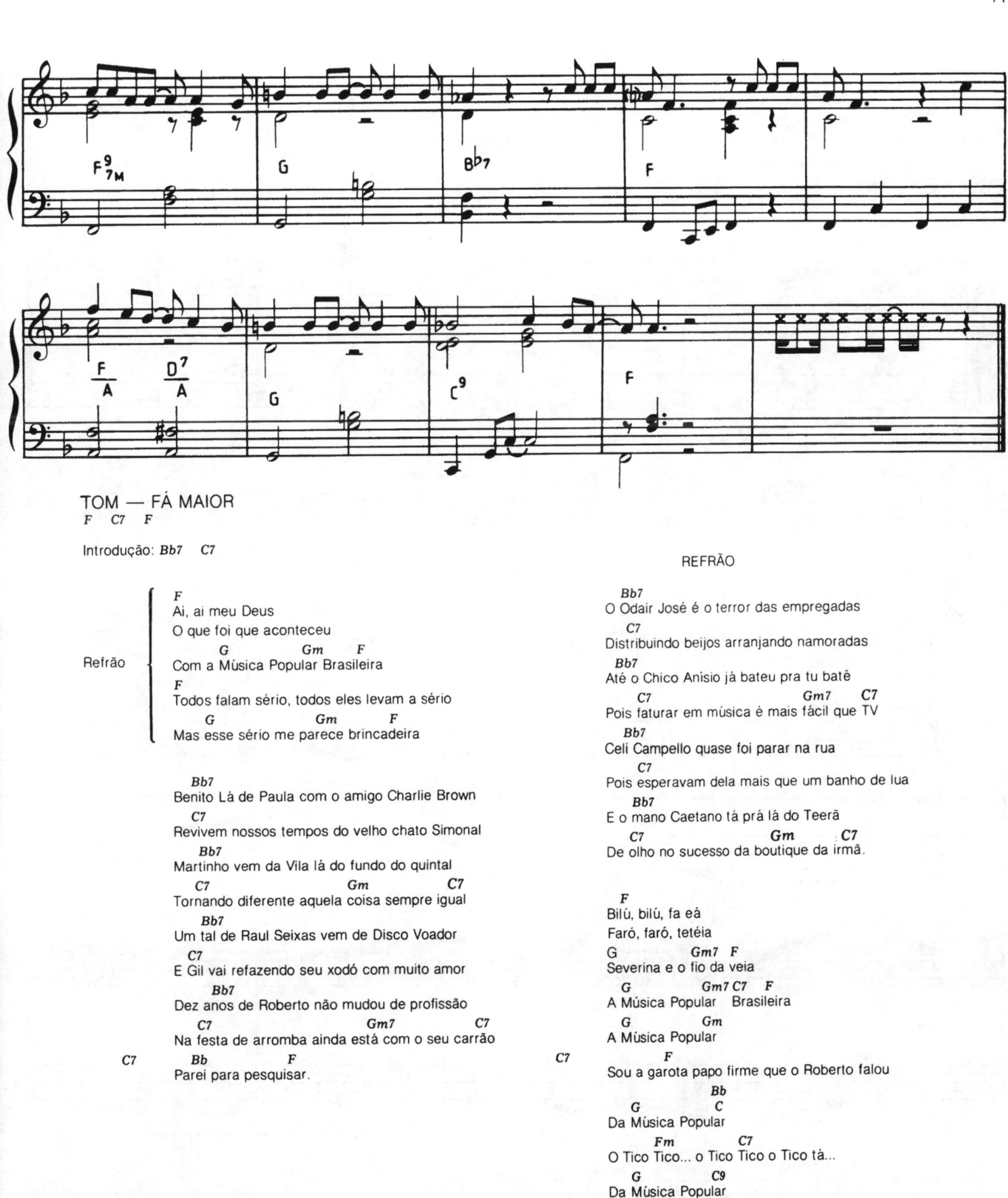

TOM — FÁ MAIOR
F   C7   F

Introdução: Bb7   C7

Refrão
{
  F
  Ai, ai meu Deus
  O que foi que aconteceu
     G   Gm   F
  Com a Música Popular Brasileira
  F
  Todos falam sério, todos eles levam a sério
     G   Gm   F
  Mas esse sério me parece brincadeira
}

  Bb7
Benito Lá de Paula com o amigo Charlie Brown
  C7
Revivem nossos tempos do velho chato Simonal
  Bb7
Martinho vem da Vila lá do fundo do quintal
  C7   Gm   C7
Tornando diferente aquela coisa sempre igual
  Bb7
Um tal de Raul Seixas vem de Disco Voador
  C7
E Gil vai refazendo seu xodó com muito amor
  Bb7
Dez anos de Roberto não mudou de profissão
  C7   Gm7   C7
Na festa de arromba ainda está com o seu carrão
C7   Bb   F
Parei para pesquisar.

REFRÃO

  Bb7
O Odair José é o terror das empregadas
  C7
Distribuindo beijos arranjando namoradas
  Bb7
Até o Chico Anísio já bateu pra tu batê
  C7   Gm7   C7
Pois faturar em música é mais fácil que TV
  Bb7
Celi Campello quase foi parar na rua
  C7
Pois esperavam dela mais que um banho de lua
  Bb7
E o mano Caetano tá prá lá do Teerã
  C7   Gm   C7
De olho no sucesso da boutique da irmã.

  F
Bilú, bilú, fa eá
Faró, faró, tetéia
  G   Gm7 F
Severina e o fio da veia
  G   Gm7 C7 F
A Música Popular   Brasileira
  G   Gm
A Música Popular
C7   F
Sou a garota papo firme que o Roberto falou
          Bb
G   C
Da Música Popular
  Fm   C7
O Tico Tico... o Tico Tico o Tico tá...
  G   C9
Da Música Popular
                9
F   F7M
Olha que coisa mais linda, mas cheia de
G   Bb7
Música Popular   F
  F   F   A   D7
Mamãe eu quero, Mamãe eu quero, Mamãe eu quero
G   C7   F
Música Popular Brasileira
F
Pega, mata e come.

Tico-tico no fubá...

Pelo original
Letra de
Eurico Barreiros

Choro Sapeca

Música de
Zequinha Abreu

© Copyright 1941 by IRMÃOS VITALE S/A. Ind. e Com.
Todos os direitos autorais reservados para todos os países — All rights reserved

Na 2ª vez 8ª (ad libitum)

TOM — LÁ MENOR
Am   E7   Am

Introdução: *E7* (4 compassos de Ritmo)

1.ª PARTE

      Am
    Um tico-tico só
      E7
    Um tico-tico lá
    Já está comendo
              Am
    Todo, todo o meu fubá
      Dm
    Olha, seu Nicolau
         Am
    Que o fubá, se vai
      B7
    Pego no meu Pica-pau
      E7
    E um tiro sai,

    Coitado...

       Am
    Então eu tenho pena
      E7
    Do susto que levou
    E uma cuia cheia
          Am
    Mais fubá eu dou
      Dm
    Alegre já
    Voando, piando
Am
    Meu fuba, meu fubá
E7   *Am   E7   Am*
    Saltando de lá prá cá

    2.ª PARTE (DECLAMANDO)

    Tico-tico engraçadinho
    Que está sempre a piar
    Vá fazer o teu ninho
    E terás assim um lar
    Procure uma companheira
    Que eu te garanto o fubá
    De papada sempre cheia
    Não acharás a vida má

3.ª PARTE
     C
Houve um dia lá
     G7
Que ele não voltou
E seu gostoso fubá
     C
O vento levou
Triste fiquei
Quasi chorei
     G7
Mas então vi
Logo depois
Já não era um
     C
Mas, sim já dois
Quero contar baixinho
     G7
A vida dos dois
Tiveram seu ninho
     C
E filhinho depois
     F
Todos agora
Pulam ali
     C
Saltam aqui
            G7
Comendo sempre o fubá
           C G7 C
Saltando de lá prá cá.

Apanhei-te, cavaquinho!

Pelo Original

Letra de
Hubaldo Mauricio

Choro

Ernesto Nazareth

8va
mf Em
F#7
B7
Em
Bm
F#7
B7
mf Em
F#7
B7
E7
Am
Em
F#7
B7
Em
Em
Do
ao
G
Fim
segue
trio
TRIO
8va
f C
D7
G7
C

TOM — SOL MAIOR
G   D7   G

Bis {
    D7   *G*   *B7*
Um cavaquinho, cabecinha pequenina, no formato d'um oitinho,
                Em   *Am*   *G*
De boquinha rendondinha, de pescoço compridinho, orelhinha cravelhinha
    D7   *G*
De madeira o terninho, gravatinha de cordinha, falou:
    D7   *G*   *B7*
Sou miudinho, tenho quatro "cordazinha", mas dou vida ao chorinho,
                    Em   *Am*
Sou o molho do sambinha! "Seu" pandeiro, cuidadinho!...
   G   *D7*   *G*
Tome tento, ó flautinha!... "Seu" piano, diga ao pinho cavaquinho já chegou!
}

Bis {
   Em   *F#7*   *B7*
Ò! cavaquinho malcriado, deu o brado, indignado, o piano:
         Em
Seu mesclado, sem teclado, vilão!
 Em   *Bm*   *F#7*
Ó cavaquinho, te arrebento, seu rebento de instrumento, ruge o pinho,
   B7
Seu safado, mascarado, não!
  Em   *F#7*
A dona flauta, com a prata mais vermelha que centelha,
 B7   *E7*
Num trinado, engasgado, disse apenas, bufão!
   Am   *Em*
"Seu pandeiro, vibra o guizo ao "cavaco"
  B7   *Em* *B7* *Em*
"Facão", eu te bato, eu te piso, seu "tustão"!
}

E7
D7   Bis {
G7
G7
   C   *D7*   *G7*   *C*
O cavaquinho envergonhado deu no pé, pé, pé, aprendeu a lição, ão, ão
                     Am
Que não se brinca em seresta, nem se ofende ninguém!...
                      G7
Que não se zomba do mais velho, também!
 C   *D7*
Mas cavaquinho arrependido voltou lá, lá, lá
   E7   *A7*   *D7*
E pediu pra ficar, ar, ar e, humilde, aprendeu, eu, eu
              C
A respeitar os do lugar! ah!
}

Travessia

Letra e Música
de Milton Nascimento
e Fernando Brant

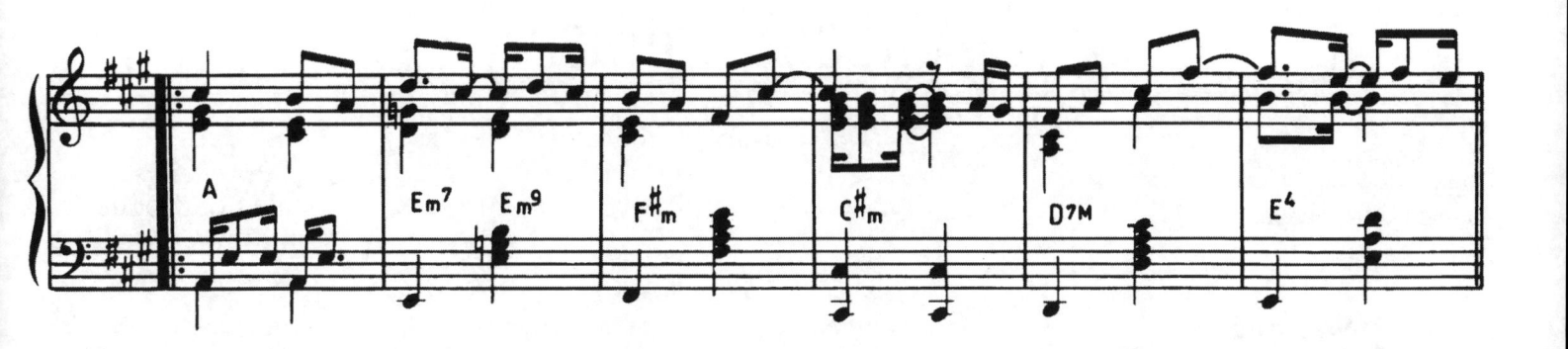

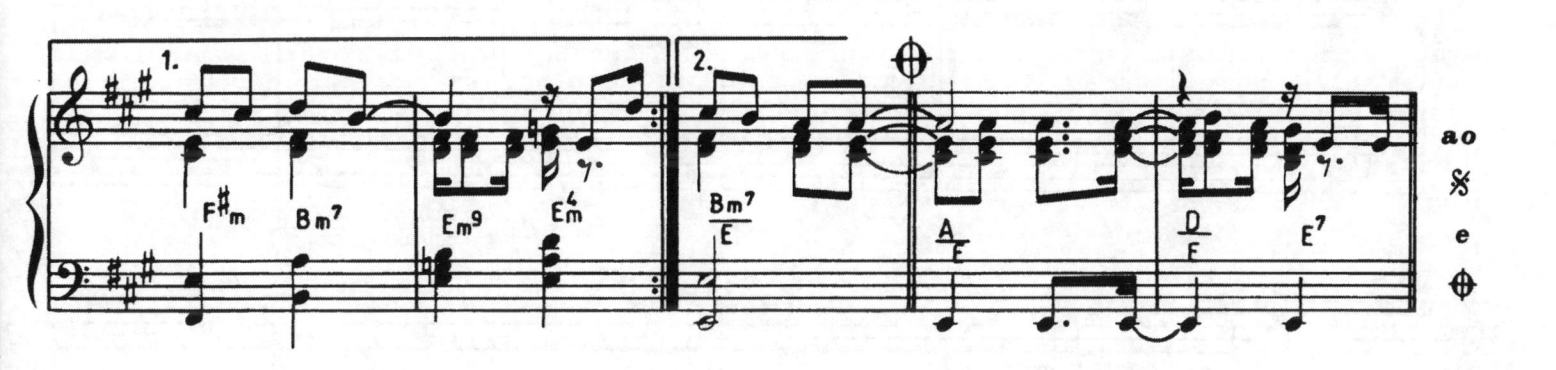

TOM — LÁ MAIOR
A E7 A

Introdução: A $\overset{D}{E}$ E9— A $\overset{Bm7}{E}$ E7

I

E7   A   D#m5- $\overset{E}{D}$
Quando você foi embo — ra
    A7M   E4susp A7M
Fez-se noite em meu viver
    A   Em9
Forte eu sou mas não tem jeito
Em7
   A   A7   D7M
Hoje eu tenho o que chorar
G7M
D   D7M   G7M   G#m7 C#7
Minha casa não é minha
         F#m
    F#m E   D#m5-
E nem é meu este lugar
E   Bm7
D   A7m E   G#m4 F#m7
Estou só e não resisto
Bm7   D   D
E   E9— A   E E9— A   E E7
Muito tenho pra falar

II

    A   Em7   Em9
Solto a voz nas estradas
    F#m   C#m
Já não quero parar
    D7M   E4susp
Meu caminho é de pedra
    F#m   Bm7   Em9
Como posso so — nhar
          4
Esusp
     A   Em7   Em9
Sonho feito de bri — sa
    F#m   C#m
Vento vem terminar
    D7M   E4susp
Vou fechar o meu pranto
    Bm7   A
    E   E
Vou querer me matar

III

E7   A   D#m5— $\overset{E}{D}$
Vai seguindo pela vi — da
     A7M   E4susp A7m
Me esquecendo de você
E9—   A   Em9
Eu não quero mais a morte
Em7
   A   A7   D7M
Tenho muito que viver
G7M
D   D7M G7M   G#m7 C#7
Vou querer amar de novo
         F#m
    F#m E   D#m5—
E se não der não vou sofrer
E
D   A7M   Bm7 G#m4 F#m7
Já não sonho hoje faço
Bm7   D   A D
E   E9— A   E E9— E E E7
Com meu braço o meu viver

Vassourinhas

Frevo

Arranjo Fácil
pelo Processo de
Baixos Alternados

Matias da Rocha
e Joana Batista Ramos

Os acordes de F7 podem ser 8ᵛᵃ acima (opcional)

© Copyright 1953 by Irmãos Vitale S.A. - Indústria e Comércio
Todos os direitos autorais reservados — All rights reserved

De acordo com a sonoridade do Piano
os acordes de F7 podem ser 8va acima (opcional)

Variação

Mário Mascarenhas

Vivo - (Rápido)

Os acordes de F7 podem ser 8va acima (opcional)

Este arranjo foi feito pelo «Processo de Baixos Alternados», cujo sistema pertence às lições de «Como tocar a Música Popular Brasileira», Dicionário Completo de Acordes e O Segredo Maravilhoso das Cifras, que se encontram no 3.º Volume da obra: «120 Músicas para Piano», de Mário Mascarenhas.

Tudo Acabado

Samba

J. Piedade e Osvaldo Martins

TOM - DÓ MENOR
Cm   G7   Cm

Introdução: *Gm7 C7 Fm7 Bb7 Eb7M Dm5- G7*

Cm
Tudo acabado

Entre nós
     Ab13   Dm5-G7
Já não há mais nada
Cm
Tudo acabado
         Ab13G7
Entre nós, hoje de madrugada...
Gm7   C7   Fm7
Você chorou, eu chorei!
Bb7   Eb7M Ab7M
Você partiu, eu fiquei
   Fm
Fm   Eb   Dm7
Se você volta outra vez
  G7   Cm
Eu não sei.

Ab7M   Fm7
Nosso apartamento agora
Bb7M   Eb7M
Vive a meia luz
Dm7   G7   Ab7M
Nosso apartamento agora
Gm7   C9-   Fm
Já não me seduz
Fm
Eb   *Dm5-*
Todo o egoismo
G7   *Cm Cm7*
Veio de nós dois
Ab7   *Db*
Destruimos hoje
                       9   9-
      G7   Cm Cm9 Ab13 G5+ Cm9
O que podia ser depois

Viagem

João de Aquino
e Paulo César Pinheiro

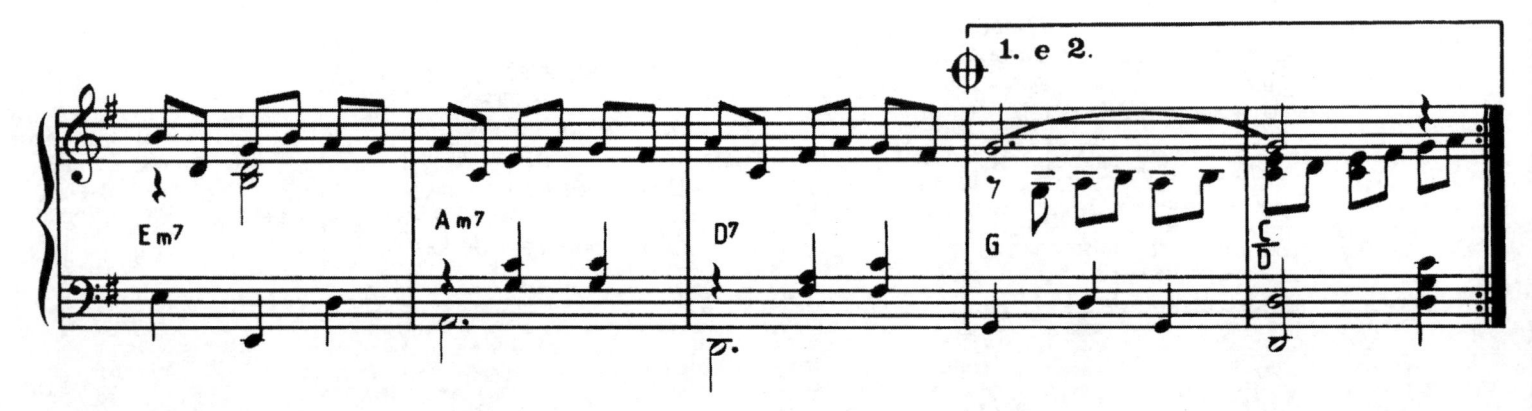

© Copyright 1969 by João de Aquino Monteiro - Paulo Cesar Francisco Pinheiro e EBRAU (Editora Brasileira de Autores Unidos).
Direitos adquiridos por Edições Musicais Pergola Ltda.

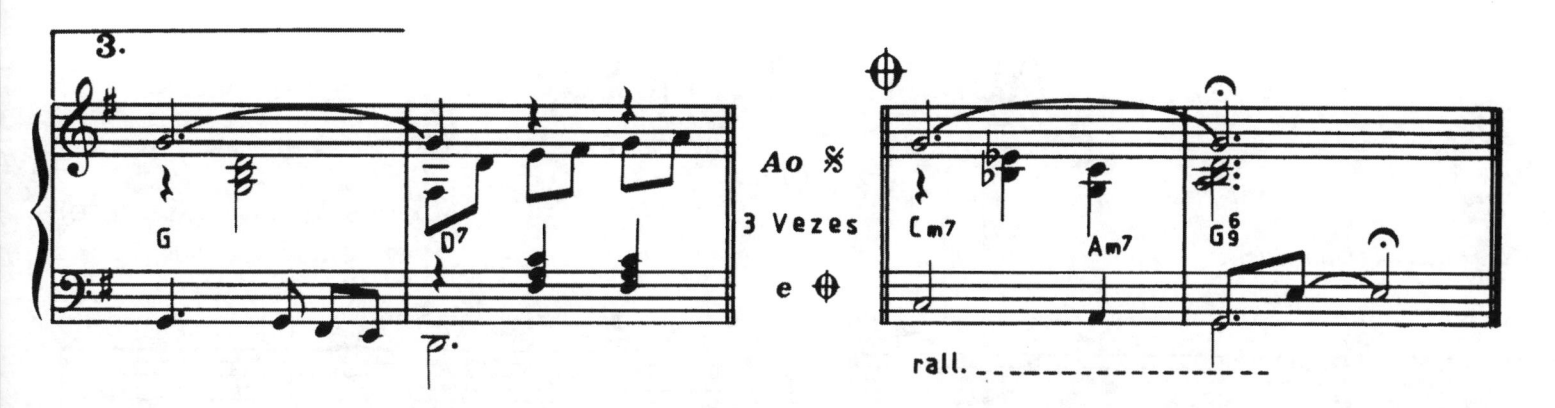

TOM — SOL MAIOR
G   D7   G

Introdução: G   Am   D7   G

G9⁶   Em7
Ó tristeza me desculpe
        A7
Estou de malas prontas
     A7
Hoje a poesia
            Am
Veio ao meu encontro
      D7
Já raiou o dia
       G   G7
Vamos viajar
C   C#º
Vamos indo de carona
       G
       D
Na garupa leve
   D#º   Em7
Do vento macio
             Am7
Que vem caminhando
        D7
Desde muito tempo
              C
       G   D
Lá do fim do mar
G9⁶   Em7
Vamos visitar a estrela
        A7
Da manhã raiada
          A7
Que pensei perdida
   Am7
Pela madrugada
             D7
Mas que vai escondida
       G   G7
Querendo brincar
C   C#º
Senta nesta nuvem clara
       G
       D
Minha poesia
      Em7
Anda se prepara
     Am7
Traz uma cantiga
        D7
Vamos espalhando
              C
       G   D
Música no ar.

G9⁶   Em7
Olha quantas aves brancas
        A7
Minha poesia
         A7
Dançam nossa valsa
              Am7
Pelo céu que um dia
      D7
Fez todo bordado
       G   G7
De raios-de-sol
C   C#º
Ó poesia me ajude
       G
       D
Vou colher avencas
   D#º   Em7
Lírios, rosas, dálias
           Am7
Pelos campos verdes
        D7
Que você batiza
              C
       G   D
De jardins-do-céu
G9⁶   Em7
Mas pode ficar tranquila
        A7
Minha poesia
         A7
Pois nós voltaremos
         Am7
Numa estrela guia
      D7
Num clarão de lua
       G   G7
Quando serenar
C   C#º
Ou talvez até quem sabe
       G
       D
Nós só voltaremos
      Em7
No cavalo-baio
     Am7
O alazão-da-noite
        D7
Cujo nome é raio
              Cm7 Am7 G9⁶
Raio de luar.

Abismo de Rosas

Valsa

Américo Jacomino (Canhoto)
e João do Sul

Introdução:

Am
A/G
F#m5-
B7
Bm4
E7
G#o
Am
F
F7M
Bm4
E7
Cm4
F13
Bm5-
E7
Am7
F9
F#m5-
B7
Bm4
E7
G#o
Am
A7
Dm
E7
Am
E7
Am
Do 𝄋 ao ⊕ depois trio
⊕ TRIO
D
G/A
A7
D
Bm
G7
F#7
F#m7
B7
Em
G/A
D
D/F#
Bm
E7

TOM — LÁ MAIOR
A E7 A

Introdução: E7 F#7 Bm7 E7 A E7

1.ª PARTE

    A   E7   A
Ao amor em vão fugir
D7   Cm7
Procurei,
F#m7 Bm4 E7
Pois tu,
Bm   F#7   Bm
Breve me fizeste ouvir
   E7   A° E13
Tua voz, mentira deliciosa!
  A   E7 A7M
E hoje é meu ideal
    Em9 A7   D D7M
Um abismo de rosas
Bm5- G#° A
Onde a sonhar
F#m   Bm7   E7   A
Eu devo, enfim, sofrer e amar!

2.ª PARTE

    Am
Am G   F#m5- B7
Mas hoje que importa
Bm4 E7   G#° Am
Se tu'alma é fria
F   F7M   Bm4 E7
Meu coração se conforta
Cm4 F13   Bm5- E7
Na tua própria agonia
Am7 F9   F#m5- B7
Se há no meu rosto
Bm4 E7   G#° Am
Um rir de ventura
A7   Dm
Que importa o mudo desgosto
E7   Am
De minha dor assim
E7 Am
Sem fim?

3.ª PARTE

    G
D A A7 D Bm
Se minha esperança,
G7 F#7   F#m7 B7
O que não se alcança
        G
Em7   A
Sonhou buscar,
D   F#
Devo calar
      Bm7
Hoje, o meu sofrer,
    E7   Em7 A7
E jamais dele te dizer
D7M G   D Bm7
O amor se é puro,
G7 F#7   Bm B7
Suporta obscuro,
      G
Em7   A
Quase a sorrir,
       D
D   F#
A dor de ver
      E7 A7 D
A mais linda ilusão morrer!

Voltar à 1.ª PARTE

  A   E7   A
Humilde, bem vês que vou
D7   Cm7 F#m7 Bm4
A teus pés levar,
E7 Bm   F#7 Bm
Meu coração que jurou,
    E7   A° E13
Sempre ser, amigo e dedicado.
A   E7 A7M
Tenha, embora, que viver
    Em9 A7   D D7M
Neste sonho enganado,
Bm5- G#°   A
Jamais direi,
F#m   Bm7 E7
Que assim vivi porque te amei!

Boato

Samba

João Roberto Kelly

C7
C9-
Fm7
Fm7
Bbm7
Bbm6
Gm5-
C9
1.
2.
Fm9
G7
C7
Fm
C9+
Gm7
C7
F
D9
Gm
Bb/C
F
F7
Bb6
Bb7M
Bb6
C 13 9-
C7
Fm7
Db7M
Gb7M
Gb 6 9
Gb7
Gm7
(b)
C9-

TOM — FÁ MENOR
Fm C7 Fm

Introdução: Fm9 Bbm9 Fm9 Bbm9

Bis {
              Fm
     Fm7   Ab   G7   Db7
Você foi um boato   só agora eu sei

C9
          C7   Fm9
Em quem acreditei

     Cm5-   F7   Bbm7   EB4
Andou de boca em boca no meu coração

Eb7
       Bbm7 Bbm6 Ab   Db7 C7 C9-
Até que um dia   desmentiu minha ilusão

 Fm7   Bbm7   Bbm6
Você foi a mentira que deixou saudade

Gm5-
     C9   Fm9   G7 C7   Fm (C5+) Gm7 C13
Todo o boato tem um fundo de verdade
}

    F   D9   Gm $\frac{Bb}{C}$ Bb7M
Haja o que houver, custe o que custar

                F5+
    F   7   Bb6
Hoje de você eu quero paz

              C13
   Bb   9   Fm7   Db7M
Sei que vou chorar, todo o meu sofrer

          6
  Gb7M G9 Gb7   Gm5- C9-
Boato   só o tempo desfaz

 Fm7   Bbm7
Você foi a mentira que deixou saudade

Gm5-   C7   Fm   G7 C7   Fm
Todo o boato tem um fundo de verdade

         Fm
 Fm7   Eb Dm5-   Bbm7
Você foi a mentira que deixou saudade

Bis {
                                                    5+
C9-   Fm   G7 C7   Fm Fm7 Db9 C5+ Fm9
Todo o boato tem um fundo de verdade
}

Emoções

Fox

Roberto Carlos
e Erasmo Carlos

TOM — SOL MAIOR
G D7 G

Introdução: C7M Am7 D13 D7

   G
Quando eu estou aqui
 Bm7   Am   Am7 D7
Eu vivo este momento lindo
 Am
Olhando prá você

 D7   G Am D7
E as mesmas emoções sentindo
 G
 B
São tantas já vividas
 Bm7   Bb° Am Am7 D7
São momentos que eu não me esqueci
 Am   D7
Detalhes de uma vida
 Am7   D7 G
Estórias que eu contei aqui

 G
Amigos eu ganhei
 B   Bb°   Am E7 Am D7
Saudades eu senti   partindo
 Am   D7
E às vêzes eu deixei
 Am   D7   G7
Você me ver chorar sorrindo

 C   Cm   F
Sei tudo que o amor é capaz de me dar
 G   F9   E7
Eu sei já sofri, mas não deixo de amar

      A7
Se chorei ou se sorri
      Am   D7   G Em7 Am D7
O importante é que emoções eu vivi

(Cantar os dois primeiros versos e depois, para terminar:)

      G
Mas eu estou aqui
 G
 B   Bb°   Am   E7 Am7 D7
Vivendo este momento lindo
   Am   D7
De frente prá você
   Am   D7 G7
E as emoções se repetindo
 C   Cm   F
Em paz com a vida e o que ela traz
 G   F9   E7
Na fé que me faz otimista demais
      A7
Se chorei ou se sorri
     Am   D7   G Em7 Am D7 G7M
O importante é que emoções eu vivi

Duas Contas

Samba-Canção

Anibal Augusto Sardinha (Garôto)

© Copyright 1958 by Mangione & Filhos Comp. Ltda., sucessores de E. S. Mangione

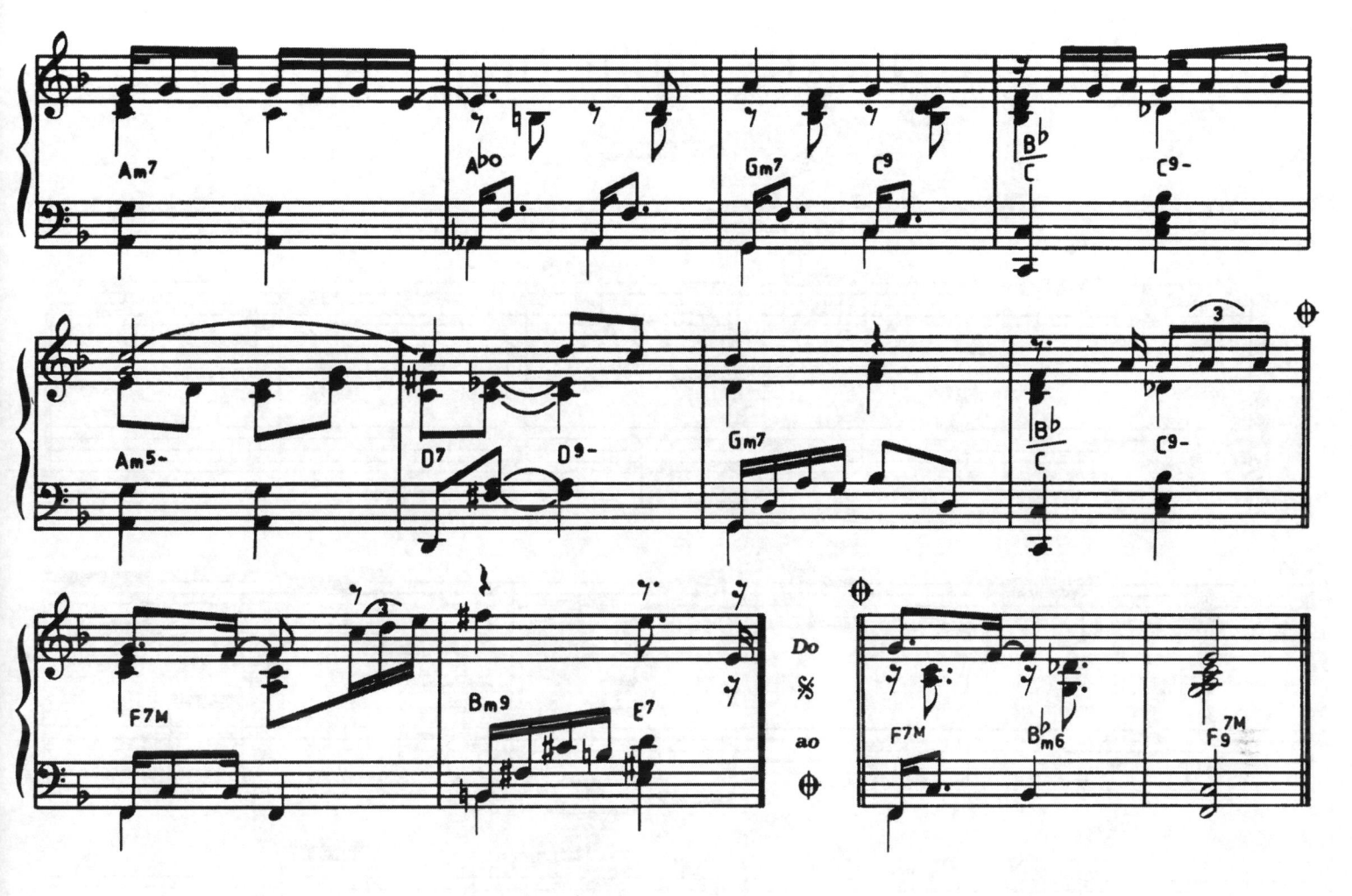

TOM — FÁ MAIOR
F C7 F

Introdução: F9⁷ᴹ Gm7 F9⁷ᴹ Dm7 E⁴ Bm7 E7

E7 Am7 D9⁷
　　Teus olhos

Am　　D9　　　Gm7 C7
　São duas contas p e q u e n i n a s

Gm9　　C9　　　F7M Gm7
　Qual duas pedras p r e c i o s a s

　Am7　　Abdm　　Gm4 C7 Bm7 Esus
　Que brilham mais que o luar

　　Am7 D7
　São　eles

Am7　　D7　　　Gm7 C7
　Guias do caminho e s c u r o

Gm9　　C9　Am5–
　Cheio de desilusão

　D7
　E dor

　Gm7　　　Bbm6
　Quizera que eles soubessem

　Am7　　　　Abdm
　O que representam prá mim

　　　　　　　Bb
　Gm7 C9　C　　　C9–　Am5–
　F a z e n d o　　que eu prossiga feliz

D7 D9– Gm7
Ai　a m o r

Bb/C　C9–　　F　F7M Bbm6　F7M/9
　A luz dos teus olhos

Nossos Momentos

Samba

Luiz Reis
e Haroldo Barbosa

TOM — Mib MAIOR
Eb   Bb7   Eb

Introdução: *Fm7   Ab   Am5-   Bb9-* (Bb 13 above Am5- Bb9-)

             Eb   Edm   Ab   Gm⁶ Fm9
Momentos são iguais a estes em que eu te amei,

        Db   Bb7   Ab
        F   F   Eb7M Bb
Palavras são iguais a estas que eu te dediquei

         Eb Eb7M   Fm
Bb9   Bb Bb   Adm   Ab Fm7 G4
Eu escrevi, na fria areia, um nome para amar.

     Cm
mar chegou,

   F7
tudo apagou,

 Fm
 Ab   B7 Bb7
Palavras leva o mar...

                            Fm
     Eb   Edm   Ab   Gm⁶
Teu coração, praia distante, em meu perdido olhar

     Db
Fm9   F   Bb7   Adm
Teu coração mais inconstante que a incerteza do mar.

           C7   Fm
Gm7 Bbm6 G   Ab   Abm
Teu castelo de carinhos eu nem pude terminar

Eb7M   Fm9
Momentos meus
        Bb
       Ab
Que foram teus,

Bb7   Eb   Eb7M Abm G7M
Agora é recordar!...

Conceição

Samba-Canção

Dunga e Jair Amorim

TOM — Mib MAIOR
Eb Bb7 Eb

Introdução: Cm7 Fm7 Bb7 Eb

     Fm
Conceição
  Ab
  Bb Bb7 Eb   Ab7M
(Eu me lembro muito bem)
 Gm7 Cm7   Fm
Vivia no morro a sonhar
  Bb7   Gm7
Com coisas que o morro não tem...

5-
C9-   Fm7
Foi então
      Ab
    Bb Bb7   Eb7M
Que lá em cima a p a r e c e u
  Cm7   D7   Gm
Alguém que lhe disse a sorrir
    Gm7   A7   D7   Fm7 Bb13
Que, descendo à cidade, ela iria subir...

 Bb7 Fm7
Se subiu

     Bb7   Eb7M Ab13
Ninguém sabe, ninguém viu
    Gm   Cm7   Fm
Pois hoje o seu nome mudou
  Bb7   Bb9   Bbm7 Eb7
E estranhos caminhos pisou...
     Ab7M
Só eu sei
     Ab7   Db7   EbM
Que, tentando a subida, desceu,
Ab7M Gm   Cm   Fm7
E agora daria um milhão
    Bb7   Eb   Bbm6 C5+
Para ser outra vez Conceição
                            Eb Ab7M Eb7M
2.ª vez para terminar: Conceição

Carolina

Samba

Chico Buarque de Hollanda

Cm7
F7
Bb
Bb7M
Am7
D9-
Gm7
1.
Fm
Bb7
Eb
Ab7
Bb7M
Dm7
Gm7
C7
Gm7
C7
Cm7
Eb/F
F13
2.
3
Em5-
Fm
Bb13

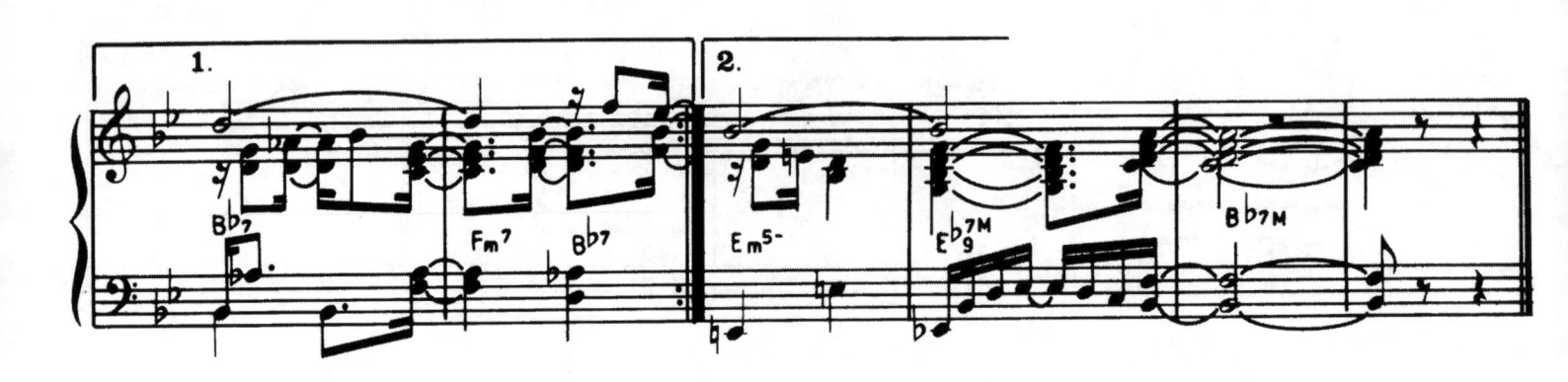

TOM — Sib MAIOR

Bb   F7   Bb

Introdução: Cm7   Dm9   Cm9   F13

    Bb7M
Carolina
               Am7
Nos seus olhos fundos
D7   Gm7
Guarda tanta dor
Dm7   G7   Cm7   G5+
A dor de todo este mundo
Cm7   F7
Eu já lhe expliquei que não vai dar
Bb
Seu pranto não vai nada ajudar
Gm   C7   C9
Eu já convidei para dançar
Cm7   F7
É hora, já sei, de aproveitar
Bb
Lá fora, amor
Bb7M   Am7
  Uma rosa nasceu
D9—   Gm
Todo mundo sambou
        Fm Bb7
Uma estrela caiu
Eb   Ab7   Bb7
Eu bem que mostrei sorrindo
Dm7 Gm7   C7
Pela janela: ôi que lindo
Gm7   C7   Cm7 Eb F13
Mas Carolina não viu

    Bb7M
Carolina
              Am7
Nos seus olhos tristes
D7   Gm
Guarda tanto amor
Dm7   G7   Cm7 G5—
O amor que já não existe
Cm7   F7
Eu bem que avisei: vai acabar
Bb
De tudo lhe dei para aceitar
Gm7   C7   C9
Mil versos cantei prá lhe agradar
Cm7   F7
Agora não sei como explicar
Bb   Bb7   Am7
Lá fora, amor   uma rosa morreu
D9   Gm Em5—   FM Bb13
Uma festa acabou,   nosso barco partiu
   Eb   Ab7   Bb7M
Bis { Eu bem que mostrei a ela
   Dm7   Gm7   C13
   O tempo passou na janela
   Cm7 F7   Bb7 Fm7 Bb7
   E só Carolina não viu

2.ª vez para terminar:

                      9
Cm7 F7   Em5— Bb7M Bb7M
E só Carolina não viu

Festa do Interior

Samba

Morais Moreira
e Abel Silva

Eb/F Bb Cm7 F7 Bb Eb/F Bb
Bb Fm7 Bb7 Eb Eb Eb Cm
Eb/F Bb Gm7 Cm7 Eb/F Fm7
Bb7 Bb13 Eb/Bb Ab7 Bb Gm Cm
F7
1.
Bb Cm4/F F7
2.
Bb B7 C7 C#7

TOM — Slb MAIOR
Bb F7 Bb

Introdução: Bb F Bb F Bb

	Bb Eb7 Bb
	Fagulhas, pontas de agulhas
	Eb7 Bb Dm7 G7 Cm
	Brilham estrelas de São João
G7	Cm F7 Cm Cm7
	Babados, xotes e xaxados,
F7	Cm7 Eb
	Cm F F Bb
	Segura as pontas meu coração

         Eb
      Bb F   Bb
Bis { Bombas na guerra-magia
      Bb   Fm7   Bb7   Eb
      Ninguém matava, ninguém morria
              Eb
      Eb Cm F   Bb
      Nas trincheiras da alegria
                   Eb
      Gm7 Cm7   F   Fm7 Bb7 Bb13
      O que explodia era o amor
      Eb
      Bb   Ab7   Bb
      Nas trincheiras da alegria
         Gm7 Cm   F7 Bb B7 C7 C 7
      O que explodia era o amor

         D7
          C   D7
Bis { E ardia aquela fogueira
                     Gm7
      Que me esquenta a vida inteira
              C7   Cm7
      Eterna noite sempre a primeira
      Eb
      F   F9 Bb B7 C7 C 7
      Festa do Interior

Só danço samba

Antonio Carlos Jobim
Vinicius de Moraes

© Copyright 1974 by Tonga Editora Musical Ltda. (Parte 50% do autor Vinicius de Moraes)
Todos os direitos autorais reservados. All rights reserved.

TOM — FÁ MAIOR
F C7 F

Introdução: *Gm7 C7 F7M D9 Gm7 C7*

Bis
$\begin{cases}\text{Só danço samba, só danço samba,} \overset{F\quad E7\quad Eb\quad D7}{} \\ \overset{G7}{\text{Vai, vai, vai, vai}} \\ \overset{Gm7\quad\quad C7}{\text{Só danço samba, só danço samba,}} \\ \overset{F}{\text{Vai.}} \\ \text{2.}^a\text{ vez para terminar: } \overset{F\ F7M}{\text{Vai}} \quad (2 \text{ compassos de rítmo})\end{cases}$

Cm7   F7   Bb7M
Já dancei twist até demais

Dm7   C13   Gm7   C7
Já dancei e me cansei do twist e do tchá, tchá, tchá

F   E7   Eb   D7
Só danço samba, só danço samba,

G7
Vai, vai, vai, vai,

Gm   *C7*
Só danço, samba, só danço samba,
Bb6
G   C11+
Vai.

(REPETIR AD-LIBITUM)

Estrada da solidão

Samba-Canção

Letra e Música
de Mário Mascarenhas

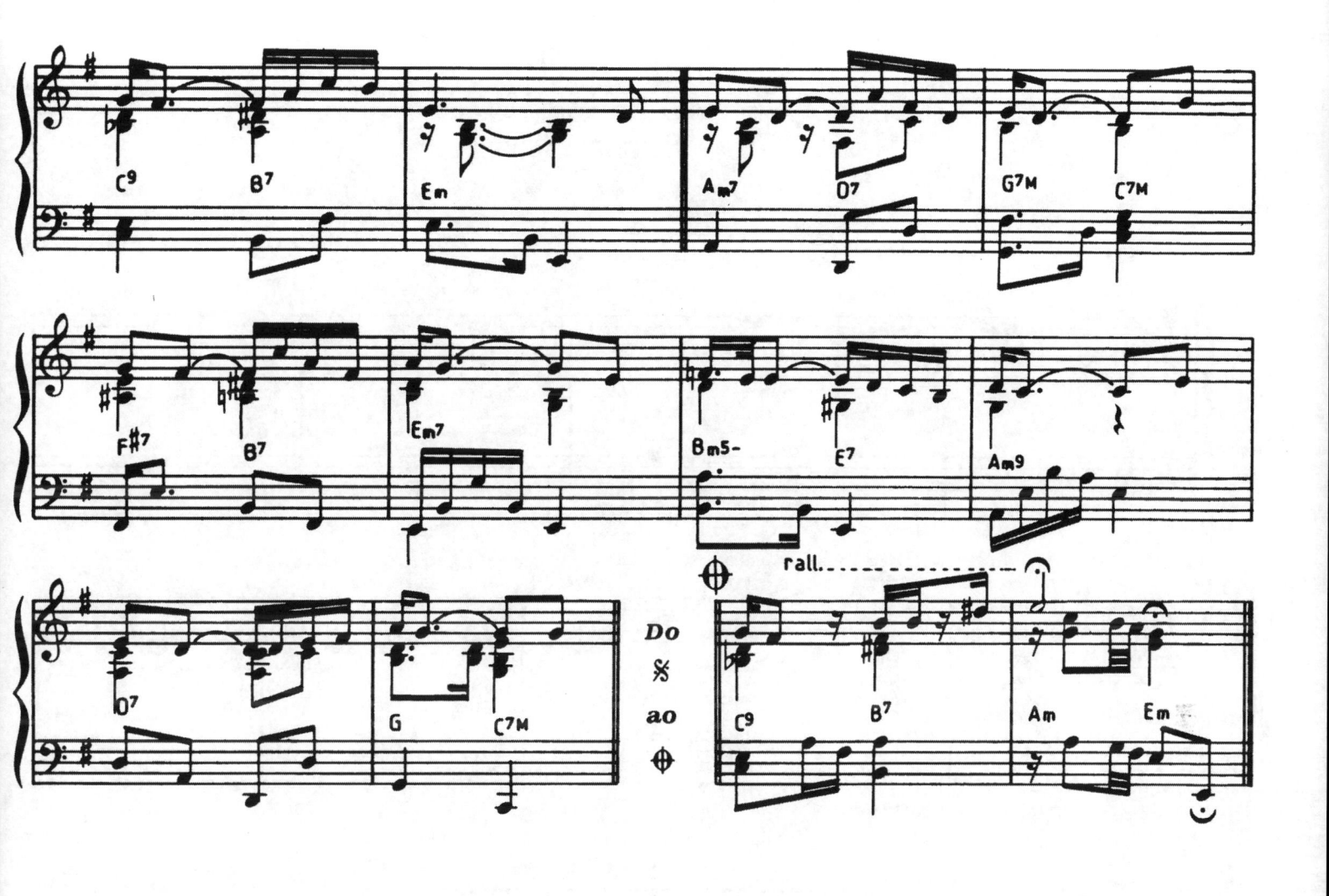

TOM — MI MENOR
Em B7 Em

Introdução: F#m5- B7 Em C9 B7 Em

    F#7 B7   Em7
Tristonho vou caminhando
  Bm5- E7   Am
Na estrada da solidão
  C
  D D7   Em
Sofrendo esta saudade
  F#7   F#m5-
E a dor de uma paixão.
B7 C7 B7   Em
As ondas do mar profundo, Am
 E7 E9-   Am7 G
O sol com o seu calor
  F#m5-   Em7
E as estrelas no firmamento
   C7 B7   Em
Não são maiores que o meu amor

  Am7 D7   G7M
Não posso viver em paz
C7M   F#7 B7   Em7
Tão longe do teu carinho
  Bm5-   E7   Am9
Oh! volta, amor para os meus braços
  D7   G C7M
Qual ave que volta ao ninho

  F#7 B7   Em7
Saudade, palavra doce
  Bm5- E7   Am
Prá quem tem o amor presente
  C
  D D7   Em
Saudade, palavra amarga
  F#7   F#m7
Prá quem tem o amor ausente
B7 C7 B7   Em
Eu guardo entre os meus lábios
            Am
 E7   E9-   Am7 G
De teus beijos o sabor.
  F#m5-   Em7
E apaixonadamente
  C9 B7   Am Em
Eu te suplico: Volta, amor!

Januária

Samba

Chico Buarque de Hollanda

Moderato

TOM — FÁ MAIOR
F   C7   F

Introdução: F   Dm   G7   Gm7   C7   F

    Bb7   F7M
Toda gente homenageia
   Dm7   Am9
Januária na janela
   D7   Gm7
Até o mar faz maré cheia
  Dm7   G7   Gm
Pra chegar mais perto dela
   C7   Gm7
O pessoal desce na areia
C   A7   Am7
E batuca por aquela
   D7 D9— Gm
Que malvada se penteia
 Gm7 C7   F
E não escuta quem apela

    Bb7   F7M
Quem madruga sempre encontra
   Dm7   Am7
Januária na janela
   D7   Gm7
Mesmo o sol quando desponta
  Dm7   G7   Gm
Logo aponta os lábios dela
   C7   Gm7
Ela faz que não dá conta
C   A7   Am7
De sua graça tão singela
   D7 D9— Gm
O pessoal se desaponta
 Gm7 C7   F
Vai pro mar levanta vela
    F   Dm7
Cum dá tá, tá,   cum dá tá tá,
    G7   Gm7
Cum dá tá tá,   cum dá tá tá
    C7   F
Cum dá tá tá, cum dá tá tá, etc

Lady Laura

Roberto Carlos
e Erasmo Carlos

1ª
E7
Am
2ª
Am
Bm5-
E7
Am
Dm
G7
Am
1ª
Am
E7
2ª
Bm4
E7
ao
com rep.
e
Bm4
E7
D.C.
sem rep.
e
Am
Bm5-
E9-
Am

TOM — LÁ MENOR
Am E7 Am

Introdução: Am Dm G C Bm5- E7

         Am7   Dm
Tenho às vezes vontade de ser novamente um menino
   G7   C   Bm4
E na hora do meu desespero gritar por você
E7   Am   Dm
De pedir que me abrace e me leve de volta pra casa
       E7   Am
Que me conte uma estória bonita e me faça dormir
  Am   Dm
Só queria ouvir sua voz me dizendo sorrindo
 G7   C   Bm4
Aproveite o seu tempo, você ainda é um menino
E7   Am   Dm
Apesar da distância e do tempo eu não posso esconder
      E7   Am Bm5—
Tudo isso eu às vezes preciso escutar de você

E7   Am
Lady Laura, me leve pra casa
     Dm
Lady Laura, me conte uma estória
     G7
Lady Laura, me faça dormir
     Am
Lady Laura
E7   Am
Lady Laura, me leve pra casa
     Dm
Lady Laura, me abrace forte
     G7
Lady Laura, me faça dormir
    Am Bm4
Lady Laura

     E7   Am   Dm
Quantas vezes me sinto perdido no meio da noite
        G7   C   Bm4
Com problemas e angústias que só gente grande é que tem
E7   Am   Dm
Me afagando os cabelos você certamente diria
       E7   Am
Amanhã de manhã você vai se sair muito bem
              Am   Dm
Quando eu era criança podia chorar nos seus braços
  G7   C   Bm4
E ouvir tanta coisa bonita na minha aflição
E7   Am   Dm
Nos momentos alegres sentado ao seu lado eu sorria
     E7   Am Bm5—
E nas horas difíceis podia apertar sua mão

                       Am
Estribrilho: Lady Laura, etc.

     E7   Am7   Dm
Tenho às vezes vontade de ser novamente um menino
             G   C   Bm4
Muito embora você sempre ache que eu ainda sou
E7   Am   Dm
Toda vez que eu te abraço e te beijo sem nada dizer
     E7   Am Bm5—
Você diz tudo o que eu preciso escutar de você

Jura

Samba

J. B. Silva (Sinhô)

Domínio publico

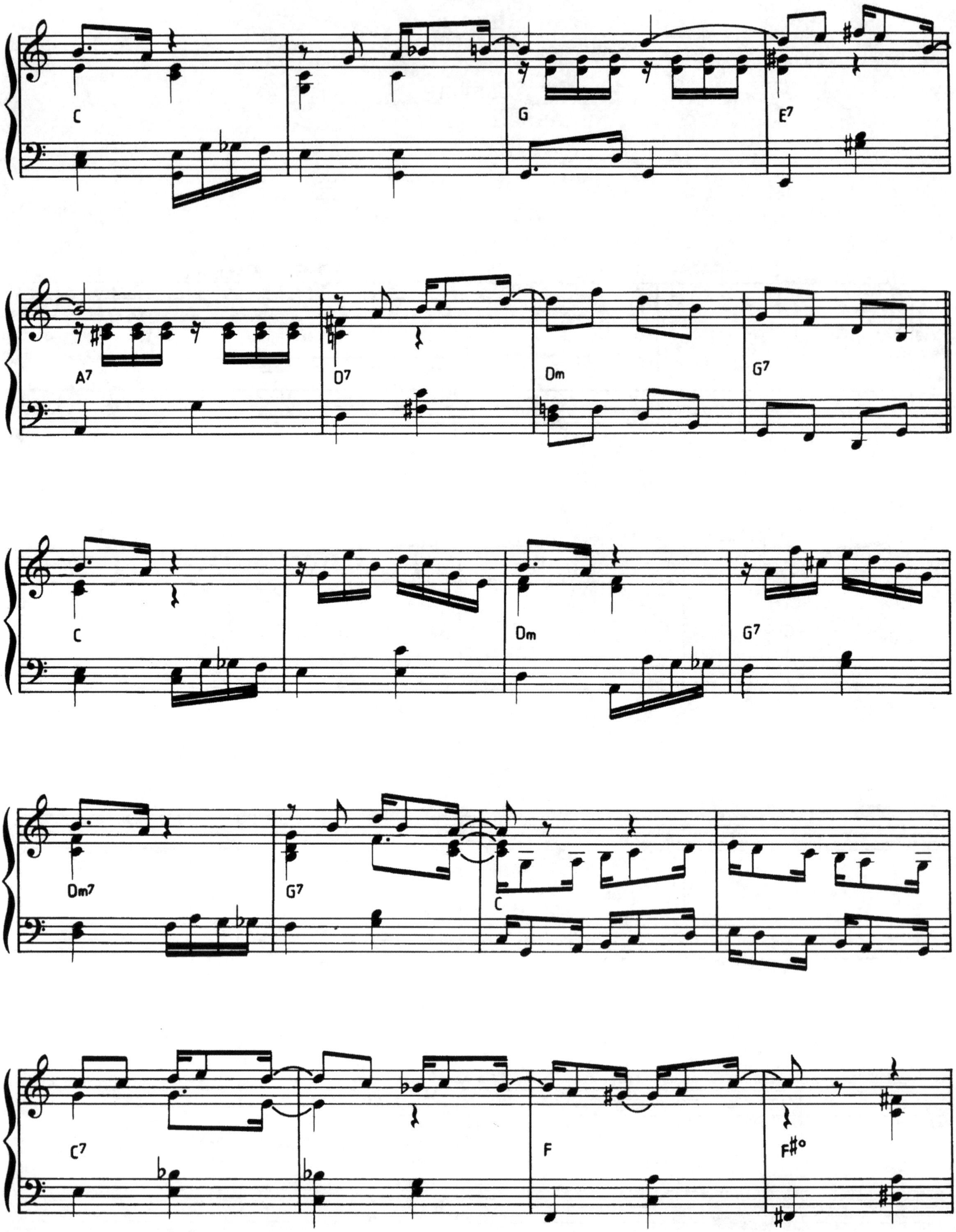
C G E7
A7 D7 Dm G7
C Dm G7
Dm7 G7 C
C7 F F#o

TOM — DÓ MAIOR
C G7 C

Introdução: Dm G7 C Dm7 G7 C Dm7 G7 C Dm7 G7 C

    C   Dm G7 Dm
    Jura jura   jura
G7   C
    Pelo Senhor
    C   G
    Jura pela imagem
E7   A7 D7   Dm
    De Santa Cruz   do Redentor
        G7
    Pra ter valor a tua
    C   Dm G7 Dm
    Jura jura   jura

G7   C
    De coração
    C7
    Para que um dia
        F   F#º
    Eu possa dar-te meu amor
C   Dm   C
    Sem mais pensar na ilusão

C   A7 Dm G7   C
Daí, então,   dar-te eu irei
C7M   Am Dm   G7   C7M
O beijo puro da catedral do amor!
C   A7   Dm   C7   C
Dos sonhos meus   bem juntos aos teus
    Dm   G7 Dm   C
Para livrar-nos das aflições da dor

Se todos fossem iguais a você

Samba-Canção

Antonio Carlos Jobim
e Vinicius de Moraes

Voz
B♭7M
Am5-
D9-
Gm9
Gm7
Fm
B♭7
E♭7M
Dm5-
G7
Cm
Cm7
F7
E♭/F
B♭/F
Em7
A9
Dm7
G7
Cm7
F7
B♭7M
Am5-
D7
Gm7
Fm7
B♭7
E♭
A♭/B♭
B♭7
E♭7M

TOM — Sib MAIOR

Bb F7 Bb

Introdução: Em5− A5+ A9− Dm7 Dm9 G13 Cm7

```
        F7
        Vai tua vida
                G7    G
                ―     ―
                F     F
F7      Teu caminho é de paz e amor;
        F7    F
              ―
              Eb
        A tua vida
              F     G     A7
              ―     ―     ―
              Eb    D     C#
F 7     É uma linda canção de amor;
        F#m7    F7    Eb7    D7    Gm7
        Abre teus braços e canta a ultima esperança
              Bbm7    Ab7M
        A esperança divina
              Am5−  D7  G7M  G7  Cm7  F7
        De amar      em paz.
```

```
        Bb7M    Am5− D9−    Gm5    Fm  Bb7
        Se todos  fossem   iguais a você
        Eb7M    Dm5− G7  Cm    Cm7
        Que maravilha  v i v e r !
                              Eb
        F7                    ―
                              F
        Uma canção pelo ar
                              Bb
                              ―
                              F
        Uma mulher a cantar
        Em7                   A7
        Uma cidade a cantar
           Dm7      G7       Cm7
        A sorrir, a cantar, a pedir
           F7      Bb7
        A beleza de amar
              Am5− D7        Gm7      Fm7 Bb7
        Como o sol,    como a flor, como a luz
                        Ab
        Eb              ――  Bb7   3b7M
                        Bb
        Amar sem mentir nem sofrer;
        Em5−          Ebm9  Ab7
        Existiria a verdade
        Bb6     Gm7         C13
        Verdade que ninguém vê
                        Eb
        Cm7             ―     F9−       Bb
                        F
        Se todos fossem no mundo iguais a você
```

Marvada Pinga

Rasqueado

Ochelsis Laureano
e Raul Torres

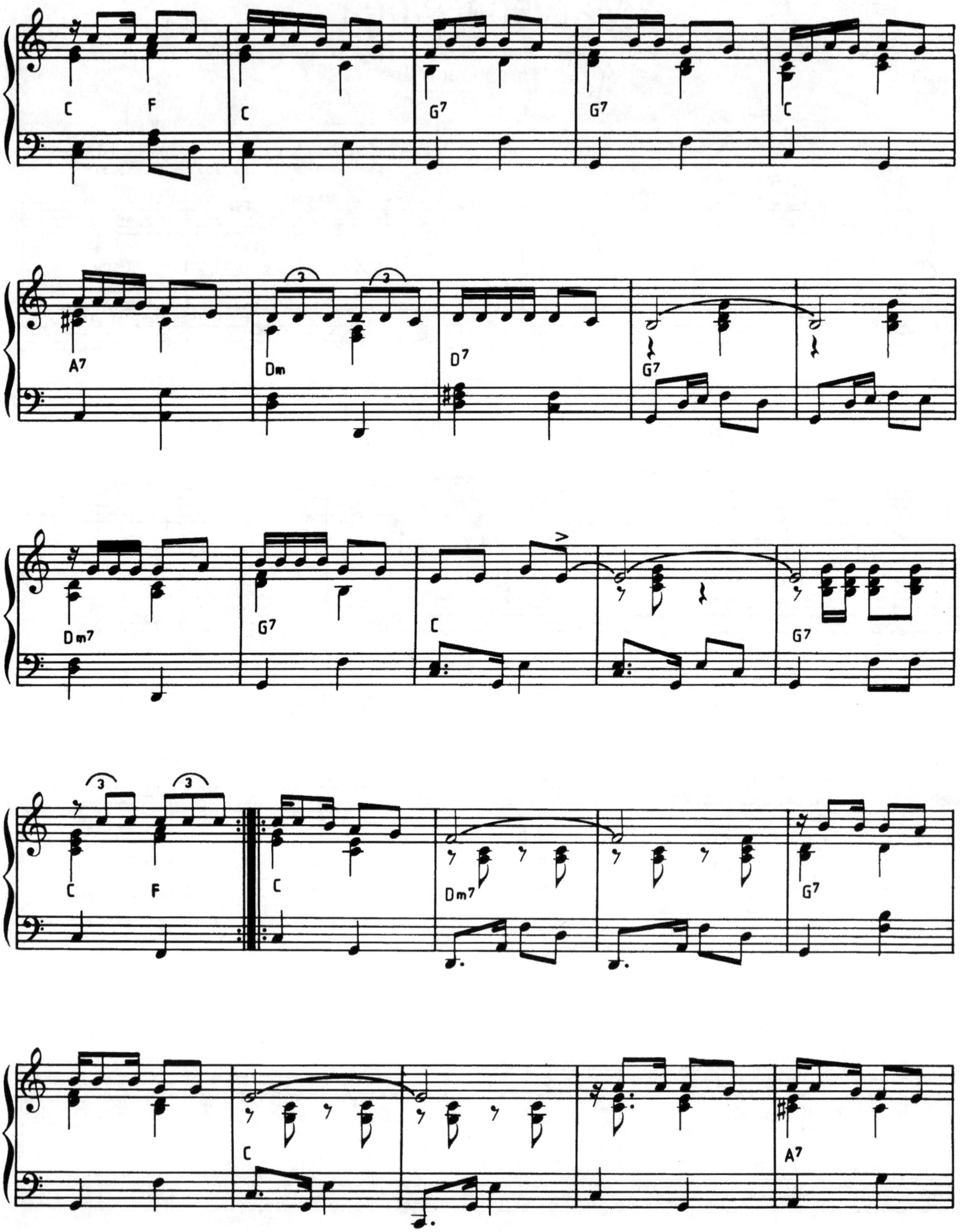
C F C G7 G7 C
A7 Dm D7 G7
Dm7 G7 C G7
C F C Dm7 G7
C A7

TOM — DÓ MAIOR
C G7 C

Introdução: C G7 C F G7 G C G7 C

1

Com a marvada da pinga (C)
É que eu me atrapaio (G7)
Eu entro na venda
E já dou meu taio (C)
Pego no copo (F)
E dali num saio (Dm)
Ali memo eu bebo (F)
Ali memo eu caio (G7)
Só prá carregá (Dm / G7)
É que dou trabaio, ôi lá! (C)

2

Venho da cidade (C / F / C)
E já venho cantando (G7)
Trago um garrafão
Que venho chupando (C)
Venho prós caminho (A7)
Venho tropicando (Dm)
Chifrando o barranco (D7)
Venho eu cambetiando (G7)
E no lugar que eu caio (Dm7 / G7)
Já fico roncando, ôi lá! (C)

3

O marido me disse (C)
Ele me falô (G7)
Largue de bebê
Peço por favô (C)
Prosa de hôme (F)
Nunca dê valô (Dm)
Bebo com sol quente (F)
Prá esfriar o calô (G7)
E bebo de noite (Dm / G7)
É prá fazê suadô, ôi lá! (C)

4

Cada vez que eu caio (C)
Caio deferente (G7)
Me asso prá trás
E caio prá frente (C)
Caio devagá (A7)
Caio de repente (Dm)
Vou de corropio (D7)
Vou deretamente (G7)
Mas seno de pinga (Dm7 / G7)
Eu caio contente, ôi lá! (C)

5

Pego o garrafão (C)
E já balanceio (G7)
Que é prá mode vê
Se está memo cheio (C)
Num bebo de vez (F)
Porque acho feio (Dm)
No primeiro gorpe (F)
Chego inté no meio (G7)
No segundo trago (Dm / G7)
É que eu disvaseio (C)

6

Eu bebo da pinga (C)
Porque gosto dela (G7)
Eu bebo da branca (C)
Bebo da amarela (C)
Bebo nos copo (A7)
Bebo na tigela (Dm)
Bebo temperada (D7)
Com cravo e canela (G7)
Seja quarquer tempo (Dm / G7)
Vai pingá na guela! ôi lá! (C)
Ê marvada pinga!

7

Eu fui numa festa (C)
No rio Tietê (G7)
Eu lá fui chegando
No amanhecê (C)
Já me déro pinga (A7)
Prá mim bebê (Dm)
Já me déro pinga (D7)
Prá mim bebê (G7)
Tava sem fervê! (Dm / G7)
Eu bebi demais (C)
E fiquei mamada (G7)
Eu cai no chão
E fiquei deitada (C)
Aí, eu fui prá casa (A7)
De braço dado (Dm)
Ai! de braço dado (G7)
É com dois sordado! (C)
Ai! muito obrigado! (G7 / C)

Quando vim de Minas

Partido Alto

Xangô

TOM — DÓ MAIOR
C G7 C

Introdução: F7M C Am7 Em7 G7 Dm7 G7 C G7 C G7

Bis {
          G7   C
Quando eu vim de Minas
Am7   G7
Trouxe ouro em pó
          F
Quando eu vim
        F7M G7
Quando eu vim de Minas
Dm7 G7   C   F
Trouxe ouro em pó, quando vim.
}

      C   F
Trabalhava lá em Minas
C   Am   G7
Juntei dinheiro numa sacola
   Dm7 G7 Dm7
Por causa de uma mineira quase
G7   G7   C
Quase que eu peço esmola

      G7
Quando eu vim, etc

      F   C
Você diz que é esperto
Am   G7   Dm
Mas esperto foi eu só
       G7
Porque eu trabalhei na mina
Dm7 G7   C
E juntei meu ouro em pó.

     F7M   C
Trabalhava noite e dia
Am   G7   Dm
Trabalhava com chuva e sol
       G7
Mas assim eu consegui
Dm7 G7   C
Vim trazer meu ouro em pó.

    F7M   C
Sou mineiro, sou de fato
    Am7   G7
Sou mineiro requintado
    Dm   G7
Só não volto lá pra Minas
    Dm7 G7 C
Porque tenho meu corpo cansado

Refém da solidão

Baden Powell e
Paulo Cesar Pinheiro

D7 Gm Cm7 D9- Gm7
Fm B♭7 E♭7M Am5-
D7 Gm E° E♭ D7 Dm5-
G7 C7 Cm7
F7 B♭7M D7 Gm Gm7 Gm/F Em5-

A7
D7
Gm
Gm
Gm7
Am5-
D7
Gm
Fm7
B♭7
E♭7M
E♭7M
Am5-
D7
Gm
E♭7
A♭7M
3
3
D7
Dm5-
G7
Cm7
D7
Gm
Gm/F
Cm
A9-
Am5-
3
3
D7
Gm

TOM — SOL MENOR
Gm   D7   Gm

Introdução: Am5-   D7   Gm   F   A7   D7   Gm   Am5-   D7

      Gm7   Cm7   D9-   Gm7
Quem   da solidão fez seu bem
Fm7   Bb9-   Eb7M
Vai terminar, seu refém
Am5-   D7   Gm
E a vida pára também
      Eb7   Ab7M
Não vai, não vem
D7   Gm
Virá uma certa paz
Cm7   D9-   Gm7
E não faz, nem desfaz
Fm7   Bb7   Eb7M   Am5-
Tornando as coisas banais
      D7   Gm
E o ser humano incapaz
      Cm
E°   Eb
De prosseguir
D7   Dm5-
Sem ter para onde ir
G7   C7
Infelizmente eu nada fiz
Cm7   F9   Bb7M D7
Não fui feliz nem   i n f e l i z

          Gm
Gm   Gm7   F   Em5- A7
Eu fui somente um aprendiz
D7   Gm   Gm7
Daquilo que eu não quis
Am5- D7   Gm
Aprendiz de morrer.
Fm7   Bb7   Eb7M
Mas para aprender a morrer
Am5-   D7   Gm
Foi necessário viver
    EB7 Ab7M
E eu vivi
D7   Dm5-
Mas nunca descobri
G7   Cm7   D7
se esta vida existe
            Gm
         Gm   F
Ou se esta gente é que insiste
Cm   A9-   Am5-
Em dizer que é triste, ou que é feliz
D7   Gm
Vendo a vida passar
Cm7   D7   Gm
E essa vida é uma atriz
Fm   Bb7   Eb
Que corta o bem na raiz
Am5- D7   Gm
E faz do mal cicatriz
    Eb7 Am5- D7   Gm
Vai ver até que esta vida é morte
                  Gm5-
A7   D7   Gm   F
E a morte é a vida que quer.

A Noite do meu bem

Samba - Canção

Letra e Música
de Dolores Duran

TOM — DÓ MENOR
Cm   G7   Cm

Introdução: Cm Cm7M Cm7 Fm9 Ab7M Fm G5+

```
                    Eb7        F
Cm7         Bbm7    Bb         A
Hoje eu quero a rosa mais linda que houver
     Fm
     Ab    G7    Ab7M
E a primeira estrela que vier
                   F6      5+
    Ebm7   Ab7     G    G9+ G9-
Para enfeitar   a  noite do meu bem
                    Eb7       F
Cm7         Bbm7    G         A
Hoje eu quero a paz de criança dormindo
     Fm
     Ab    G7    Ab7M
E o abandono das flores se abrindo
                     F
    Ebm7   Ab7       G    G5+
Para enfeitar a noite do meu bem
            Bb
Ab7M        Ab       Bb13     Gm7
Quero a alegria de um barco voltando
         C13    C7          Fm7
Quero a ternura de mãos se encontrando
                 7M          9-
    Bb13        Eb5+   Dm9   G5+
Para enfeitar a noite do meu bem

                    F
Cm7        Bbm7     A
Ah! eu quero amor o amor mais profundo
     Dm7    G7   Ab7M
Eu quero toda a beleza do mundo
     Fm6    9-
     D      G7      Cm   Cm9  Ab7M  G5+
Para enfeitar a noite do meu bem
```

FINAL
```
                    F
Cm7        Bbm7     A
Ah! como este bem demorou a chegar
     Dm7    G7   Ab7M
Eu já nem sei se terei no olhar
     Fm6    9-
     D      G7     Cm   Cm7  Cm7M  Eb7M  F13  Ab7M  Cm9
Toda a ternura que eu quero lhe dar
```

Apelo

Samba - Canção

Baden Powell
e Vinicius de Moraes

TOM — LÁ MENOR
Am E7 Am

Introdução: Dm B7 Am7 G^{Am} F7 E7

Am7   E   G#
Ah! meu amor não vás embora
          Gm
          Bb
Vê a vida como chora
     A7   Dm7
Vê que triste esta canção

Bm5-   E7   Am
Não, eu te peço não te ausentes
     Am
     G   F
Pois a dor que agora sentes
     Bb   Bm7
Só se esquece no perdão
                  E
E7 Am7   G#
Ah! meu amado me perdoa
          Gm
          Bb
Pois embora ainda te doa
     A7   Dm
A tristeza que causei

           Am
Ab+ Dm D#o E
eu te suplico não destruas

Am   F7M   Bm5-
Tantas coisas que são tuas
     E7   Am   B5- E7
Por um mal que já paguei...

              E
Am7   G#
Ah! meu amado se soubesses
          Gm
          Bb
Da tristeza que há nas preces
     A7   Dm A5+
Que a chorar te faço eu
                  Am
Dm   D#o   E
Se tu soubesses um momento
Am   F7M   Bm5-
Todo o arrependimento
     E7   Am   Bm5- E7
Como tudo entristeceu

              E
Am7   G#
Se tu soubesses como é triste
          Gm
          Bb
Eu saber que tu partiste
     A7   Dm A5+
Sem siquer dizer adeus
                  Am
Dm   D#o   E
Ah! meu amor tu voltarias
Am   F7M   Bm5-
E de novo cairias
     E7   Am   Em5- A7
A chorar nos braços meus
                  Am
Dm7   D#o   E   Am7
Ah! meu amor tu voltarias
          F7M   Bm5-
E de novo cairias
     E7   Dm9   Am9
A chorar nos braços meus...

Sertaneja

Canção

Renê Bittencourt

TOM — MI MENOR
Em B7 Em

Introdução: Am B7 Em F#m5- B7 Em Am

I

        Em
Sertaneja se eu pudesse
 B7   Em
Se Nosso Senhor me desse
        B7
O espaço prá voar,
F#m5-   B7
Eu corria a natureza
  F#m5-   B7
Acabava com a tristeza
              Em Am6
Só pra não te ver chorar.
Em Am7   Em
Na ilusão deste poema
  Am7
Eu roubava um diadema
 E7   Am
Lá do céu pra te ofertar,
F#m5- B7   Em
E onde a fonte rumoreja
    Em
 D   C7
Eu erguia tua igreja,
B7   Em Am9
Dentro dela o teu altar.

II

Em   Em   Am
Sertaneja
Em   F#m5-
Porque choras quando eu canto?
    B7   F#m5-
Sertaneja,
B7   Em
Se este canto é todo teu...
B7   Em
Sertaneja.
E7   Am   Am7
Pra secar os teus olhinhos
F#m5- B7   Em C7
Vae ouvir os passarinhos
B7   B9-   Em
Que cantam mais do que eu...

III

             Em
A tristeza do seu pranto
  B7   Em
É mais triste quando eu canto
                B7
A canção que eu te escrevi
F#m5-   B7
E os teus olhos neste instante
        F#m5-   B7
Brilham mais que a mais brilhante
             Em Am6
Das estrelas que eu já vi.
Em Am7   Em
Sertaneja vou me embora
  Am7   Em
A saudade vem agora
 E7   Am
A alegria vem depois,
F#m5- B7   Em
Vou subir por essas serras
    Em
 D   C7
Construir lá noutras terras
B7   Em Am Em
Um ranchinho pra nós dois.

Onde anda você

Bolero

Toquinho e
Vinicius de Moraes

TOM — FÁ MAIOR
F   C7   F

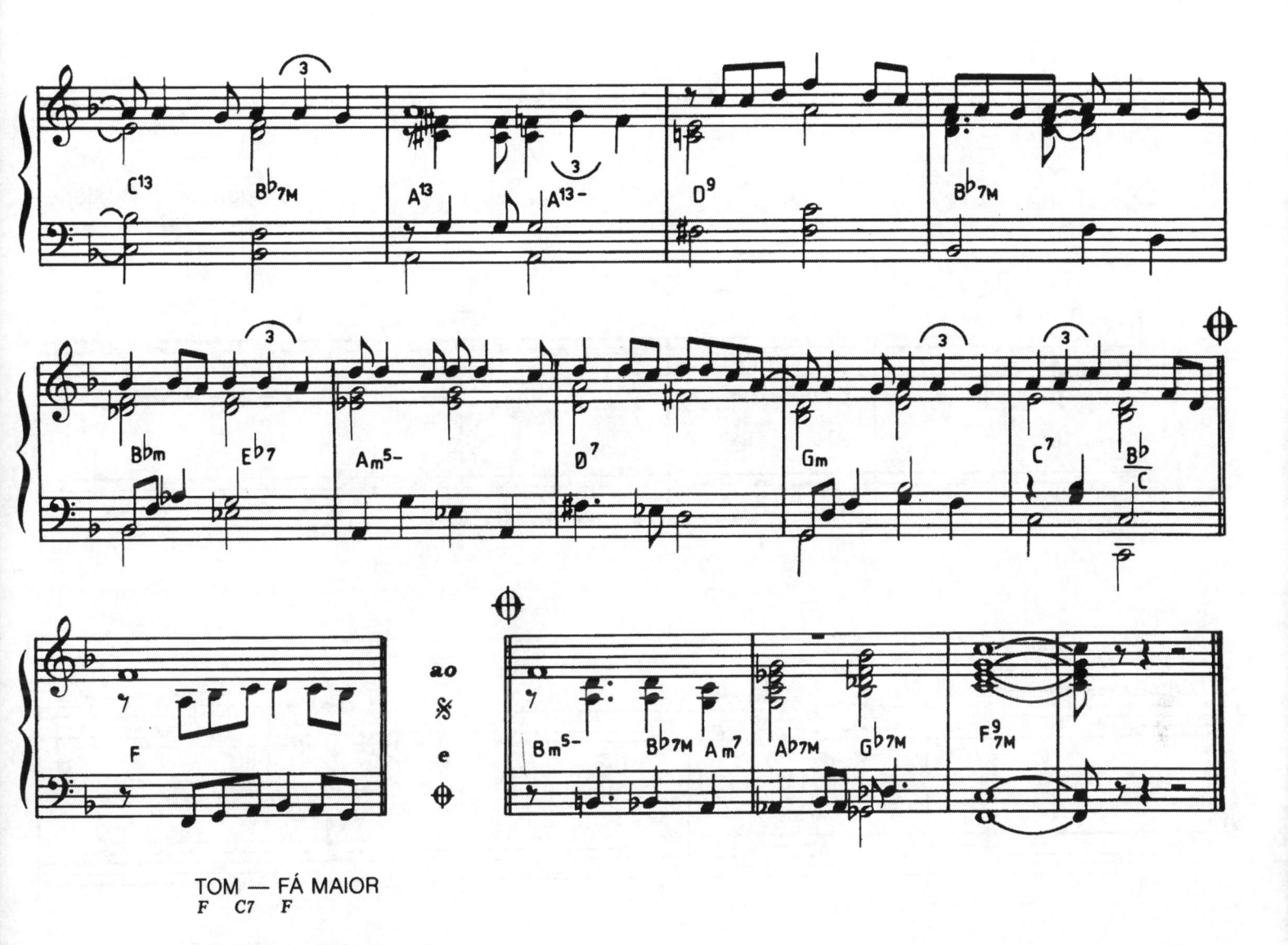

Introdução: D9- Gm7 C13 F

      D9+   G7
E por falar   em saudade
      Gm7
Onde anda você
      C13   Am7
Onde andam seus olhos
      Bb9   Am7
Que a gente não vê
      Dm9   Gm9
Onde anda este corpo
      C7
Que me deixou morto
      F   Bb7
De tanto prazer
F   D7+   G7
E por falar   em beleza
      Gm7
Onde anda a canção
      C13   Am7
Que se ouvia na noite
      Bb7   Am7
Dos bares de então
      Dm9   Gm9
Onde a gente ficava
      C7
Onde a gente se amava

      Cm7
Em tal solidão
F7   Bb7M   Bbm7
Hoje eu saio   na noite vazia
  Bbm6 Am7   D7
Numa boemia sem razão de ser
      Gm7
Na rotina dos bares
      C13
Que apesar dos pesares
  Bb7M A13 A13-
Me trazem você
D7   Bb7M
E por falar em paixão
      Bbm
Em razão de viver
  Eb7   Am5-   D7
Você bem que podia   me aparecer
      Gm
Nesses mesmos lugares
      C7
Na noite nos bares
      Bb
  C   F
Onde anda você

(Para acabar):
  Bb   9
  C   Bm5- Ab7M Gb7M F7M
Onde anda você

Valsinha

Chico Buarque de Hollanda
e Vinicius de Moraes

TOM — MI MENOR
Em B7 Em

Introdução: C7 B7 Em

  B7
  Um dia ela chegou tão diferente
   Em
  Do seu jeito de sempre chegar
  F#m5-   B7
  Olhou-a de um jeito muito mais quente
   Em
  Do que sempre costumava olhar
  E7
  E não maldisse a vida.
  E9-   Am
  Tanto quanto era seu jeito de sempre falar
  F#7
  E nem deixou-a a só num canto
       B7
  Prá seu grande espanto convidou-a para rodar...
  B7
  Então ela se fez bonita
    Em
  Como há muito tempo não queria ousar
  F#m5- B7
  Com seu vestido decotado
    Em
  Cheirando a guardado de tanto esperar
  E7   E9
  Depois os dois deram-se os braços
    Am
  Como há muito tempo não se usava dar
  F#7   B7
  E cheios de ternura e graça foram para a praça
  E começaram a se abraçar...
  B7
  E ali dançaram tanta dança
   Em
  Que a vizinhança toda despertou
  F#m5- B7   Em
  E foi tanta felicidade que toda a cidade se iluminou
  E7   E9
  E foram tantos beijos loucos
    Am
  Tantos gritos roucos como não se ouviam mais
  Em   F#m5- B7 Em Am Em
  Que o mundo compreendeu e o dia amanheceu em paz.

Último pau de arara

Baião

Venâncio, Curumba e J. Guimarães

© Copyright 1956 by RICORDI BRASILEIRA - São Paulo - Brasil
RICORDI BRASILEIRA São Paulo: Editores proprietários para todos os países
Todos os direitos são reservados. Printed in Brazil.

TOM — RÉ MENOR
Dm A7 Dm

Introdução: *D7 Gm C7 F Bb7M Bb7 Em5— A7 Dm*

I

     Dm   A7
A vida aqui só é ruim
     A7   Dm
Quando não chove no chão
D7   Gm
Mas se chovê dá de tudo
   Gm   C7   F
Fartura tem de porção   (Bis)
    Dm   Em5-
Tomara que chova logo
    A7   Dm
Tomara meu Deus tomara
   Bb   Em5-
Só deixo o meu cariri
 A7   Dm
No último pau de arara.

II

    E7   A7
Enquanto minha vaquinha
        Dm
Tivé o couro e o osso
 Bb7M   E7
E podé com um chucaio
  A7   D7
Pendurado no pescoço
       Gm
Vou ficando por aqui
  A7   Dm
Que Deus do céu me ajuda
 D7   Gm
Quem foge a terra natá
 A7   Dm
Em outro canto não para
   Dm   Bb Em5-
Bis { Só deixo o meu cariri
    A7   Dm
    No último pau de arara

Subindo ao céu

Valsa

Aristides M. Borges

113

B♭
C7
F7
B♭
E♭/F
B♭7M
B♭/C
C7
F7M
Gm7
F7M
Gm
C7
F7
B♭7M
Gm7
C7
F
D♭o
B♭/D
B♭7
E♭
A♭7
B♭/F
F7
B♭
rall.

Lágrimas de virgem

Valsa

Letra de
Milton Amaral

Música de
Luiz Americano

2.
Am
Am
G
B7
E7
Am
Bm5-
E7
Am
F7M
Bm5-
E7
Am
Bm5-
E7
Am
Am
G
Dm
F
E7
Am
1.
Am
2.
Am7
ao
e
Am
E7
A
D7
A.
D7
A
F#m
Bm7
E7
Bm7
E7
Bm7
E7
Bm7
E7

TOM — LÁ MENOR
Am E7 Am

Introdução: Dm7 D#º A F#m7 Bm7 A $\overset{D}{E}$

1.ª PARTE

    Am E7 Am
    Meiga flor
A7   Dm A5+ Dm
    Na luz do teu olhar n a s c e u
Dm
C   Bm5- E7   Am
    Um lacrimário de dor
        B7
    Porque teu coração
        Dm6
        F
    De pezar reviveu...
E7 Am E7 Am
    O a m o r . . .
A7   Dm A5+ Dm
    Que alucinou teu m e i g o ser
Dm
C   Bm5- E7   Am
    Num róseo sonho em flor
        B7   E7, Am
    Deixando-te no mundo s o f r e r

2.ª PARTE

           Bm5-
    Em fráguas doloridas
    A rolar
E7   Am
    As lágrimas sentidas
    Vão levar
F7M   Bm5-
    Cheias de suavidade
        E7
    Um alívio imenso
        Am
    Ao pobre coração
    Que sofre de paixão
        Bm5-
    Um pranto torturado
E7
    A correr
        Am
    Dos olhos macerados
    Am
    G
    De sofrer
        Dm
        F
    Cheios de poesia
        E7
    Dão alívio ao ser
           Am
    Que morre de Agonia

3.ª PARTE

E7   A
    Da imensidão do céu a rir
D7   A
    Suprema luz bendita vi
D7   A
    Entrelaçar teus olhos
    F#m   Bm7 E7
    Perdidos de a f e t o . . .
E7   Bm7
    E os anjos liriais meu bem
E7   Bm7
    Em cantos divinais no além
E7   Bm7
    Glorificando a dor
    E7   Bm7
    Do teu sonho dileto
E7   A
    O teu olhar porém chorou
E7   A
    Serena a luz enfim ficou
D7   Em
    Rebrilhando
    A7   D
    Em ditosa ternura
           A
Dm   D#º   E
    Teu coração sossegou
    F#m
    Doce amor
    Bm7 E7   A
    Bem feliz   de ventura.

Ternura antiga

Samba-Canção

J. Ribamar
e Dolores Duran

TOM — MI MENOR
Em B7 Em

Introdução: *C7 F#m5- B7 Em7 Am7 F#m5- B7 Em Am9 Em9 G7*

    C7M Am7   *B7*   *Em7*
Ai,   a rua escura, o vento frio
                   C7
Esta saudade, este vazio,

  F#m5-   *B9-*   *Em7*
Esta vontade de chorar
  Am *D*   *G7M*
Ai,   tua distância tão amiga,
               Am9
Esta ternura tão antiga
C7   *B7 Bm7*
E o desencanto de esperar
    C   *6*
Am *D*   *D9-*   *G9 C7M*
Sim,   eu não te amo porque quero
C9 F#m5-   *B7*   *Bm7 E7*
Ai,   se eu pudesse esqueceri—a
Am7   *D7*   *G7M Em*
vivo e vivo só, porque te espe—ro
F#m5-   *D7*   *Em G7*
Ai,   esta amargura, esta agonia
                  Em C7M C9 F Em9 Em
                              E
   2ª vez para terminar: agonia

Na Pavuna

Samba da Auxiliar

Letra de
Almirante

Música de
Candóca da Anunciação

Direito com os Autores

TOM — Mib MAIOR
Eb Bb7 Eb

Introdução: Fm G Fm7 Bb7 Bb Eb Fm Gm Cm7 Fm7 Eb
                     Eb   Ab

Estribilho:

Bis {
   Eb
Na Pavuna,
Na Pavuna,
  Eb
Tem um samba
Gm7 F#m   Fm Eb Bb7 Eb
Que só da gente "reúna"
}

  Ab
BbEb   Gm7 F#m7   Fm7 Eb
O malandro que só canta com harmonia
  Ab
BbEb   Gm7 F#m7   Fm7 Eb
Quando está metido em samba de arrelia,
  Ab
Faz batuque assim,
  Eb
No seu tamborim,
Bb7   Eb Gm7 F#m7   Fm7 Eb
Com o seu "time infezando o batedor"
                Ab
Eb7   Ab   Bb
E grita a negrada:
Bb9   Eb
Vem pra batucada
Bb7   Eb   Gm7 F#m7 Fm7   Eb
Que de samba na Pavuna tem "doutor".

        Ab Eb   Gm7   F#m7 Fm7   Eb
Na Pavuna tem escola para o samba
           Ab Eb   Gm7   F#m7 Fm7   Eb
Quem não passa pela escola não é bamba
              Ab
       Ab   Bb
Na Pavuna tem
       Eb
Cangerê também
Bb7   Eb   Gm7   F#m7 Fm7   Eb
Tem macumba, tem mandinga e candomblé

Eb7   Ab
Gente da Pavuna
Bb9   Eb
Só nasce turuna
Bb7   Eb Gm7   F#m7   Fm7   Eb
É por isso que lá não nasce mulher

Lata d'água

Samba

L. Antonio
e J. Júnior

TOM — Mlb MAIOR
Eb Bb7 Eb

Introdução: *G7 Cm D7 Cm G7 Cm G7*

Bis
     G7 *Cm*
   Lata d'água na cabeça
Cm   *Fm* *Cm*
   Lá vai Maria
     Ab7 G7
   Lá vai Mari — a
    Fm   *Cm*
   Sobe o morro, não se cansa,
    Ab7M   *Dm5- Ab° G7*
   Pela mão leva a criança...
      Cm G7 Cm
   Lá vai Maria!

       Cm7
  2.ª vez: Maria

Dm5 *G7*   *Dm5- G5+ Cm7*
Maria lava a roupa lá no a l — t o
Gm5- *C7*   *Gm5—C7*
Lutando pelo pão de cada d i — a
Fm   *G5+* *Dm5- G7 CM7*
Sonhando com a vida do a s f a l — t o
    G7   *Cm7 Ab G7 Cm*
Que acaba onde o morro principi — a

         Cm7 Ab7M Cm7 Cm9
2.ª *vez para terminar:* principí — a

Serra da Boa Esperança

Samba-Canção

Lamartine Babo

© Copyright 1937 by Irmãos Vitale S/A Ind. e Com. - São Paulo - Rio de Janeiro - Brasil
Todos os direitos autorais reservados para todos os países - All rights reserved

125

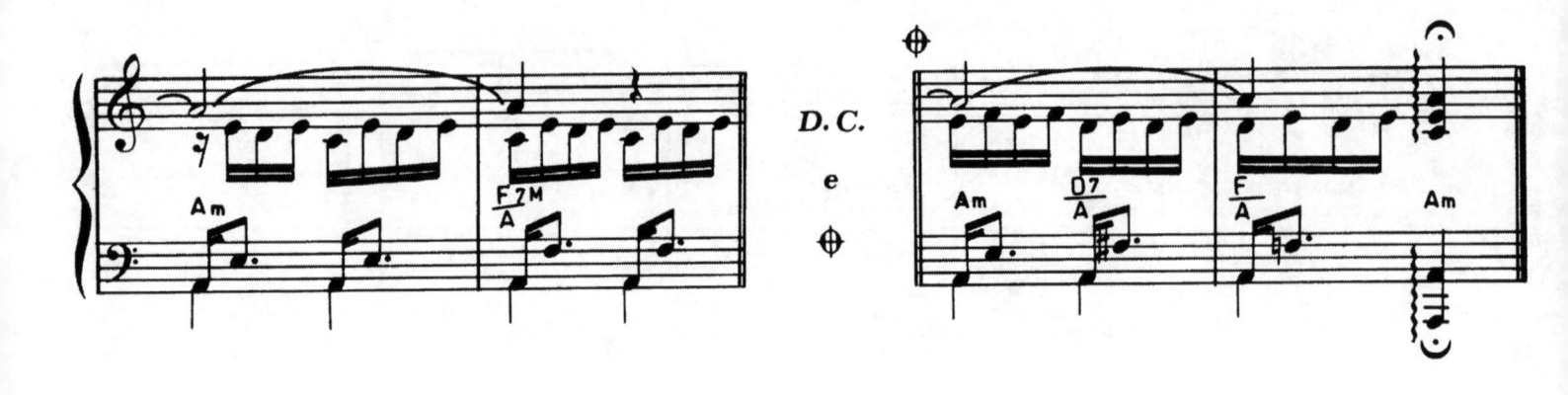

TOM — LA MENOR

Am E7 Am

Introdução: Dm7 Dm C Am7 B7 Bb7M Am9 Am5+

Am9 Am9
         G
Serra da Boa Esperança
         F7M   4
             11 Esusp E7
Esperança que e n c e r r a ...
Am7 Am9
         G
No coração do Brasil
              4
         F7M Esusp E7
um punhado de t e r r a!
F7M   G13
No coração de quem vai...
C7M   Em9 A7
No coração de quem vem
     Dm
Dm7 C   G7
Serra da Boa Esperança
              4
     C7M F7M Esusp E7
Meu último bem!
        Am9
Am9   G
Parto levando saudades
         F7M   4
             11+ F7M Esusp E7
Saudades d e i x a n d o
     Dm9
Dm7 C   F13
murchas, caidas na serra
              E
     G#dm D
lá perto de Deus!
     Dm   E
Dm   C   G
O   minha serra é a hora
              F7M
         C7M 11+
Do adeus... vou-me embora ...
Bm5—
Deixo a luz do olhar
     E7
no teu luar
     F7M
Am   A
Adeus!

Am9
Am9   G
Levo na minha cantiga
         F7M   4
             11+ F7M Esusp E7
a imagem da s e r r a ...
         Am9
Am9   G
Sei que Jesus não castiga
              4
         F7M Esusp E7
um poeta que e r r a...
F7M   G13
Nós os poetas erramos
C7M   Em9 A7
porque rimamos também
     Dm
Dm7 C
os nossos olhos
         G7
nos olhos de alguém
              4
     C7M F7M Esusp E7
que não vem! ...
        Am9
Am9   G
Serra da Boa Esperança
         F7M   4
             11+F7M Esusp E7
Não tenhas r e c e i o!
     Dm9
Dm7 C   F13
Hei de guardar tua imagem
              E
     G#dm D
com a graça de Deus...
     Dm   F
Dm   C   G
O minha serra, eis a hora
              F7M
         C7M 11
do adeus... vou-me embora
Bm5—
Deixo a luz do olhar
     E7
no teu luar...
     Am
Adeus!

Chão de estrelas

Valsa-Canção

Silvio Caldas
e Orestes Barbosa

© Copyright 1937 by Irmãos Vitale S.A. - Ind. e Com. - S. Paulo - Rio de Janeiro - Brasil
All rights reserved — Todos os direitos reservados

E7/B
E7
A7
Em5-
A5+
Dm7 9
A7/C♯
Dm/C
B♭6
A7 4
A7
D9-
Cm/E♭
D7
Gm
Gm
Em5-
A7
Dm
Dm9/C
E♭7/B♭
A7
D
G/A
D9 6
G/A
F♯m7/A
G7M
G7
F♯7

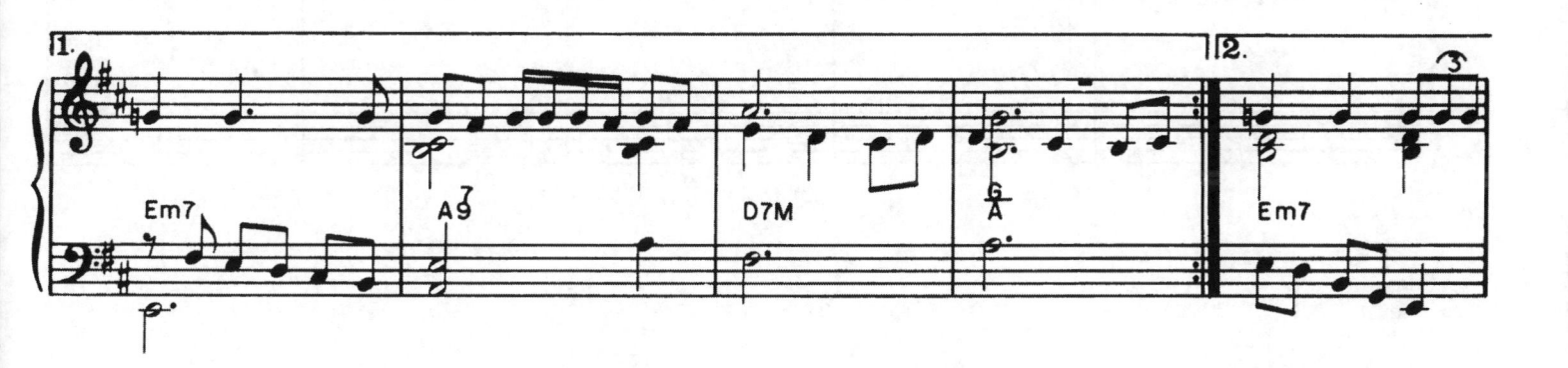

TOM - RÉ MENOR

Dm A7 Dm

INTRODUÇÃO: Am5− D7 Cm/Bb Gm6 A5+ Bb7M E7 A7 Dm9 A5+

     Dm   A7/C#   A5+/C# Dm/C
     Minha vida era um palco ilumi — nado
Bb6 A4   A7   D4   Cm/Eb
     Eu vivia vestido de doirado
     D7   D9−   Gm
     Palhaço das perdidas ilusões...
    Em5−   A5+   Dm
    Cheio dos guizos falsos de alegria,
   Dm9   Dm9/C   E7/B
   Andei cantando a minha fantasia,
      E7   A7 Em5− A5+
      Entre as palmas febris dos corações!
   Dm79   A7   Dm/C Bb6
   Meu barracão no morro do Salgueiro
 A47   A7   D9−
 Tinha o cantar alegre de um viveiro,
Cm/Eb D7   Gm
    Foste a sonoridade que acabou...
    Gm   Em5−   A7 Dm
    E hoje, quando do sol, a claridade,
 Dm9/C   Eb7/Bb
 Forra o meu coração, sinto saudade
    A7   D   G/A
    Da mulher pomba-rola que voou!...

    D69   G/A   F#m7/A
    Nossas roupas comuns, dependuradas
                 G7M
    Na corda, qual bandeiras agitadas,
     G7   F#7 C#m5−
    Pareciam um estranho festival!
  A/B   B7   E7
  Festa dos nossos trapos coloridos,
  E7   Em7
  A mostrar que nos morros mal vestidos
    A79   D7M
    É sempre feriado nacional!
    D69   G/A   F#m7
    A porta do barraco era sem trinco
                G7M
    Mas a lua, furando o nosso zinco,
    G7   F#7 C#m5−
    Salpicava de estrelas nosso chão...
  A/B   B7   E7/B
  Tu pisavas nos astros, distraída,
  E7   Em7
  Sem saber que a ventura desta vida,
    A79   D/A Gm/Bb D9/A D7M9
    É a cabrocha, o luar, o violão...

Dá nela

Marcha

Ary Barroso

TOM — SOL MAIOR
G D7 G

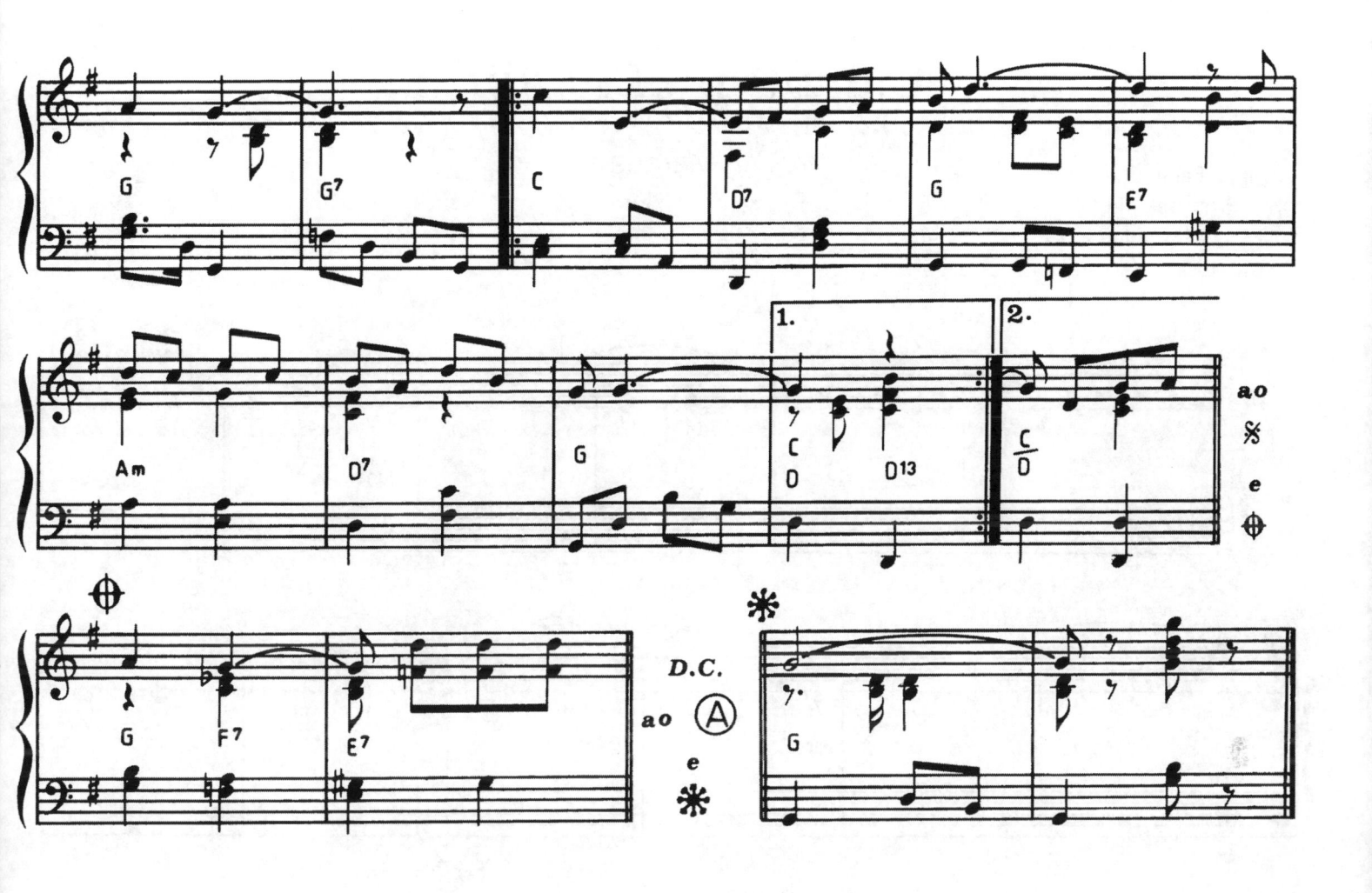

Introdução: Am7 D7 G Em7 Am7 D7

         G
Esta mulher
         E7   Am
Há muito tempo me provoca
D7   Am7 D7 G
Dá nela, dá nela,
C
D
      G
É intrigante,
     E7   Am
Fala mais que pata choca
D7   Am7 D7 G
Dá nela, dá nela

    G7   C   D7   G
          Fala língua de trapo
    E7 Am   D7
Bis   Pois da tua língua
            G   D7
          Eu não escapo.

         G   E7   Am
Agora deu para falar abertamente
D7   Am7 D7 G
Dá nela, dá nela
C
D
     G
É perigosa,
     E7   Am
Tem veneno e mata a gente
D7   Am7 D7 G
Dá nela, dá nela

Cidade maravilhosa

Marcha

Arranjo Fácil
pelo Processo de
Baixos Alternados

André Filho

© Copyright 1936 by Editorial Mangione S.A. Sucessora de E. S. Mangione - São Paulo - Brasil
Direitos autorais reservados para todos os países - All rights reserved.

C
Dm
G7
C
Fm
C
G7
C
Ber-ço do sam — ba
Cm
G7
Cm
Fm
Cm
G7
Cm
Ci-
A♭7
G 7
Ao
e
A♭7
G7
D.C.
tutti
e
Fm
C

TOM — DÓ MAIOR
C G7 C

Introdução: C Dm F F#° C Dm C Dm G7 C G7

Côro:

C   Dm
Cidade Maravilhosa
G7   C
Cheia   de encantos mil...
          Dm
Cidade   Maravilhosa.
G7   C
Coração do meu Brasil!
C   Dm
Cidade M a r a v i l h o s a,
G7   C
Cheia   de encantos mil...

Fm   C
Cidade   Maravilhosa.
G7   C
Coração do meu Brasil!

I

Cm   G7
Berço do samba e das lindas canções
               Cm
Que vivem n'alma da gente...

Fm   Cm
Es o altar   dos nossos corações
G7   C   Ab7 G7
Que cantam alegremente!

Côro:

II

Cm   G7
Jardim florido de amor e saudade,
             Cm
Terra que a todos seduz...

Fm   Cm
Que Deus te cubra de felicidade
G7   Cm   Ab7 G7
— Ninho de sonho e de luz! —

Este arranjo foi feito pelo «Processo de Baixos Alternados», cujo sistema pertence às lições de «Como tocar a Música Popular Brasileira», Dicionário Completo de Acordes e O Segredo Maravilhoso das Cifras, que se encontram no 3.º Volume da obra: «120 Músicas para Piano», de Mário Mascarenhas.

Fio Maravilha

Samba Pop

Jorge Ben

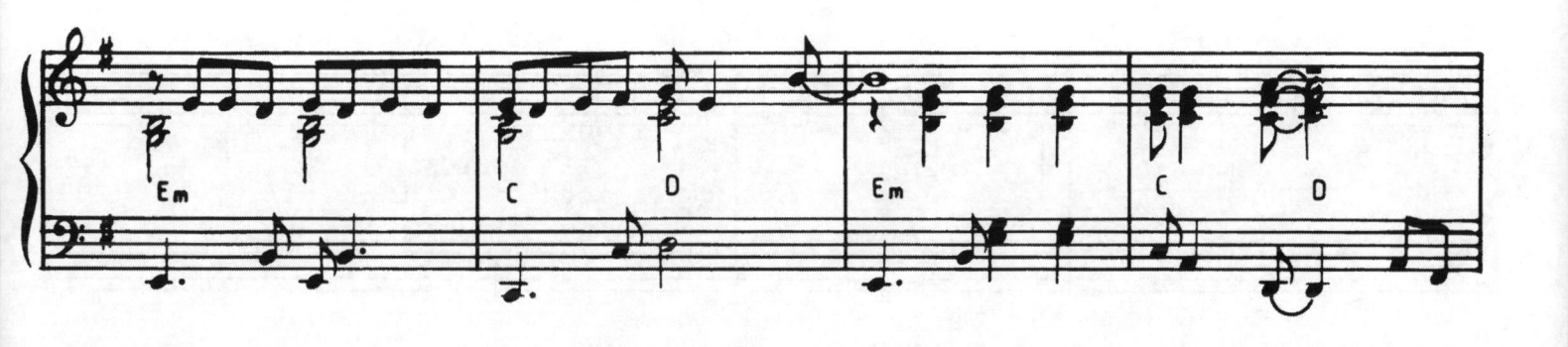

© Copyright 1972 by Musisom Editora Musical Ltda.
Todos os direitos autorais reservados — All rights reserved

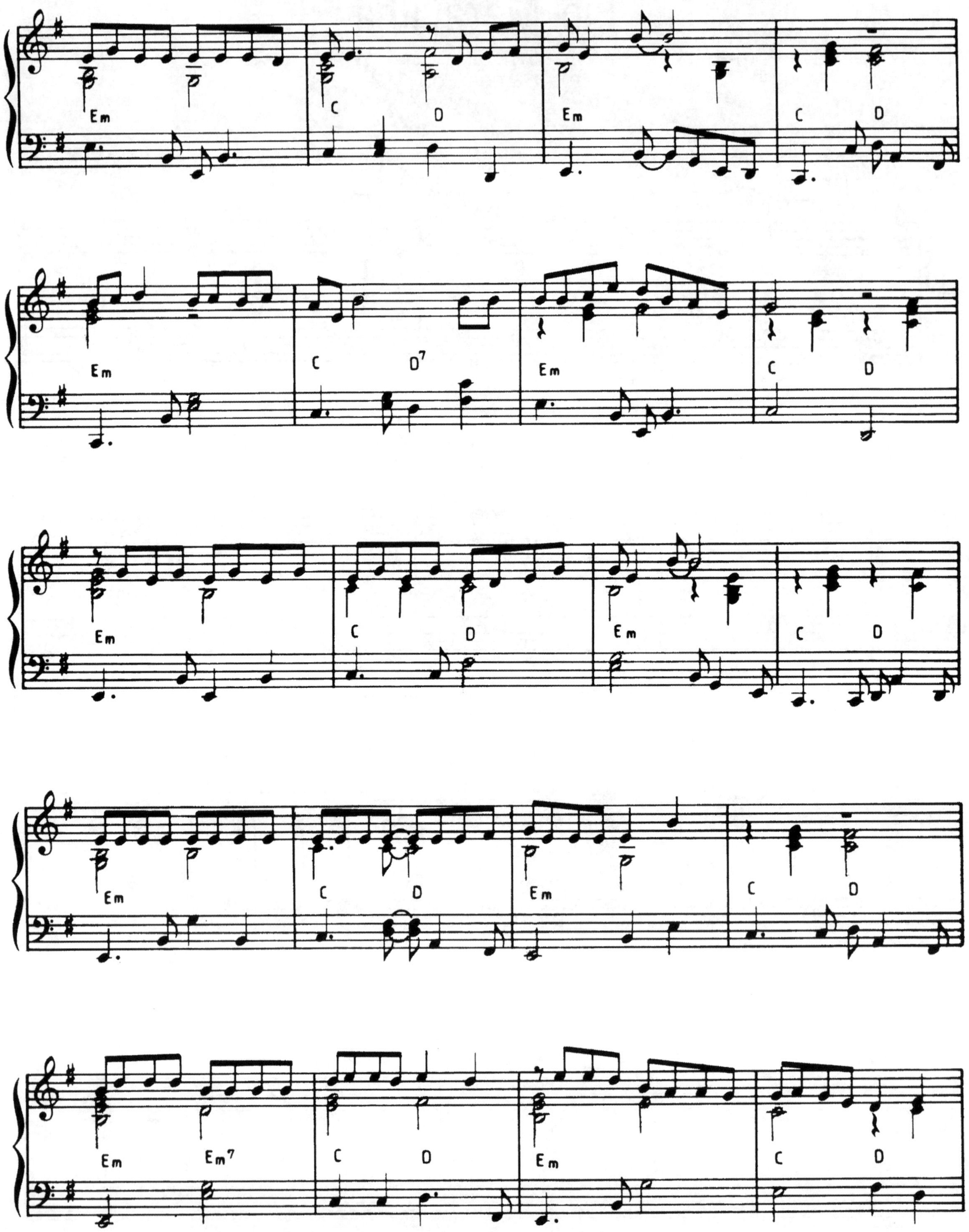
Em C D Em C D
Em C D7 Em C D
Em C D Em C D
Em C D Em C D
Em Em7 C D Em C D

TOM — MI MENOR
Em B7 Em

Introdução: Em C D7 Em C D7

    Em   C   D   Em C D
E novamente ele chegou com inspiração
                                    C
Em   C   D   C D
Com muito amor, com emoção, com explosão e goal
Em
Sacudindo a torcida
     C   D   Em   C D
Aos trinta e três minutos do segundo tempo

Em   C   D7   Em   C D
Depois de fazer uma jogada celestial em goal
Em   C   D
Tabelou, driblou dois zagueiros

          Em   C   D7
Deu um toque driblou o goleiro
Em   C
Só não entrou com bola e tudo
   D   Em   C D
Porque teve humildade em goal
Em
Foi um goal de classe
     C   D   Em   C D
Onde ele mostrou sua malícia e sua raça
Em   Em7
Foi um goal de anjo
               D
Um verdadeiro goal de placa
Bis { Em   C   D
Que a galera agradecida assim cantava:
      Em   C   Em C 13
Fio Maravilha nós gostamos de você
Bis { Em   C   D   Em C D13
Fio Maravilha faz mais um prá gente ver

Fim de semana em Paquetá

Samba-Canção

João de Barro
e Alberto Ribeiro

© Copyright 1947 by Todamérica Música Ltda. - Rio de Janeiro - Brasil
Todos os direitos autorais reservados para todos os países — All rights reserved

TOM — RÉ MAIOR
D   A7   D

Introdução: G Gm⁶ D7M B7 Em A7 D F#m7 Em7 A7

A7   D9   Bm7   Em
Esquece por momentos teus cuidados
A7   F#m7 G7M F#m7   Bm7 C#m7
E passa teu domingo em Paquetá
F#7 Bm7   Am7   D9- G7M
Aonde vão casais de namorados
     Bm7   E7   Em9
Buscar a paz que a natureza dá

A7   D9   Bm7   Em
O povo invade a barca e lentamente
A7   F#m7 G7M F#m7   Bm7 C#m7
A velha barca deixa o velho cais
F#7 Bm7   Am7   D9-   G7M
Fim de semana que transforma a gente
     Bm7   E7   Em9
Em bando alegre de colegiais

A7   D   Bm7   Em7 A7
Em Paquetá se a lua cheia
    Em7   A7   D7M
Faz rendas de luz por sobre o mar
F#7 Bm7   G#7   F#m7
A alma da gente se incendeia
                  G#5-
E há ternura sobre a areia
    C 7   F#m7
E romances ao luar
A7   D   Bm7   Em7 A7
E quando rompe a madrugada
    Em7 A7   Am7 D7
Da mais feiticeira das manhãs

G7M C7   F#m7
Agarradinhos descuidados
   Bm7   E7
Inda dormem namorados
    A7   D   Gm6 D9
Sob um céu de flamboyents.

Romaria

Introdução

Renato Teixeira

TOM — RÉ MENOR
Dm A7 Dm

Introdução: Gm7 C7 C9 F7M Dm7 Gm7 C7 F A7

            Bb7
    É de sonho e de pó
Dm7   Eb7
    O destino de um só
    Dm
    Feito eu
             Bb7
    Perdido em pensamentos
         A7
    Sobre o meu cavalo
Dm   Gm7
    E de laço e de nó
    Dm Dm9 Gm   Dm
    De gibeira o g i l ó dessa vida
    A7   Dm
    Cumprida o sol

        Refrão

    D7   C7   C79
    Sou caipira, pirapora nossa
Bis F7M   Dm
    Senhora de Aparecida
    Gm7   C7
    Ilumina a mina escura e funda
          F
    O trem da minha vida

II

            Bb7
    O meu pai foi peão
Dm7   Eb7
    Minha mãe solidão
      Dm   Bb7
    Meus irmãos perderam-se na vida
            A7
    A custa de aventuras
Dm   Gm7
    Descasei, joguei
    Dm Dm9 Gm
    Investi, d e s i s t i
    Dm   A7
    Se há sorte, não sei
    A7   Dm
    Nunca vi

    Refrão

          Bb7
    Me disseram porém
Dm7   Eb7
    Que eu viesse aqui
      Dm
    Pra Pedir
          Bb7
    De romaria e prece
         A7
    Paz nos desaventos
Dm   Gm7
    Como eu não sei rezar
    Dm Dm9 Gm
    Só queria mostrar
    Dm   A7   Dm
    Meu olhar, meu olhar, meu olhar

Trem das onze

Samba

Adoniran Barbosa

TOM — SI MENOR
Bm F 7 Bm

Introdução: Em F#7 Bm7 G7 F#7 Bm F#7 Bm

Bis
```
      F#7              Bm        Bm7       G7   Em7   Bm7  C#m5—
      Não posso ficar nem mais um minuto com você
      F#7  Bm7       Bm        G6   F#7  C#m7   F#7
      Sinto muito amor, mas não pode ser
      Em7    Em6   Bm7 F#7
      Moro em Jaçanã,
                           Bm
      Bm                    A
      Se eu perder esse trem
      G7M      C#m7          F#7     C#m7
      Que sai agora às onze horas
      F#7 C#m7 F#7     Bm   C#m5—   F#7
      Só  amanhã de manhã
                           Bm     E9   Bm7
              2.ª vez: manhã
```

            F#m5—   B7
Além disso mulher

F#m5—   B7   Em7
Tem outra coisa,
          G7
Minha mãe não dorme
                  F#7 C#m5—   F#7
Enquanto eu não chegar,
                         Bm
Em F 9—Bm7   A
Sou filho único

G   G7   F#7   Bm
Tenho minha casa para olhar
                    C#m7
E eu não posso ficar
      F#7   Bm
Não posso ficar

Se ela perguntar

Valsa

Dilermano Reis
e Jair Amorim

Am7 B7 F#m5- B7 Em E7 Am7
B9+ Em C7 B7 Em
B7 B9- Em Bm4
E9- Am7 Am/G F#m5- Am Em
F#7 C7 B7 F#o

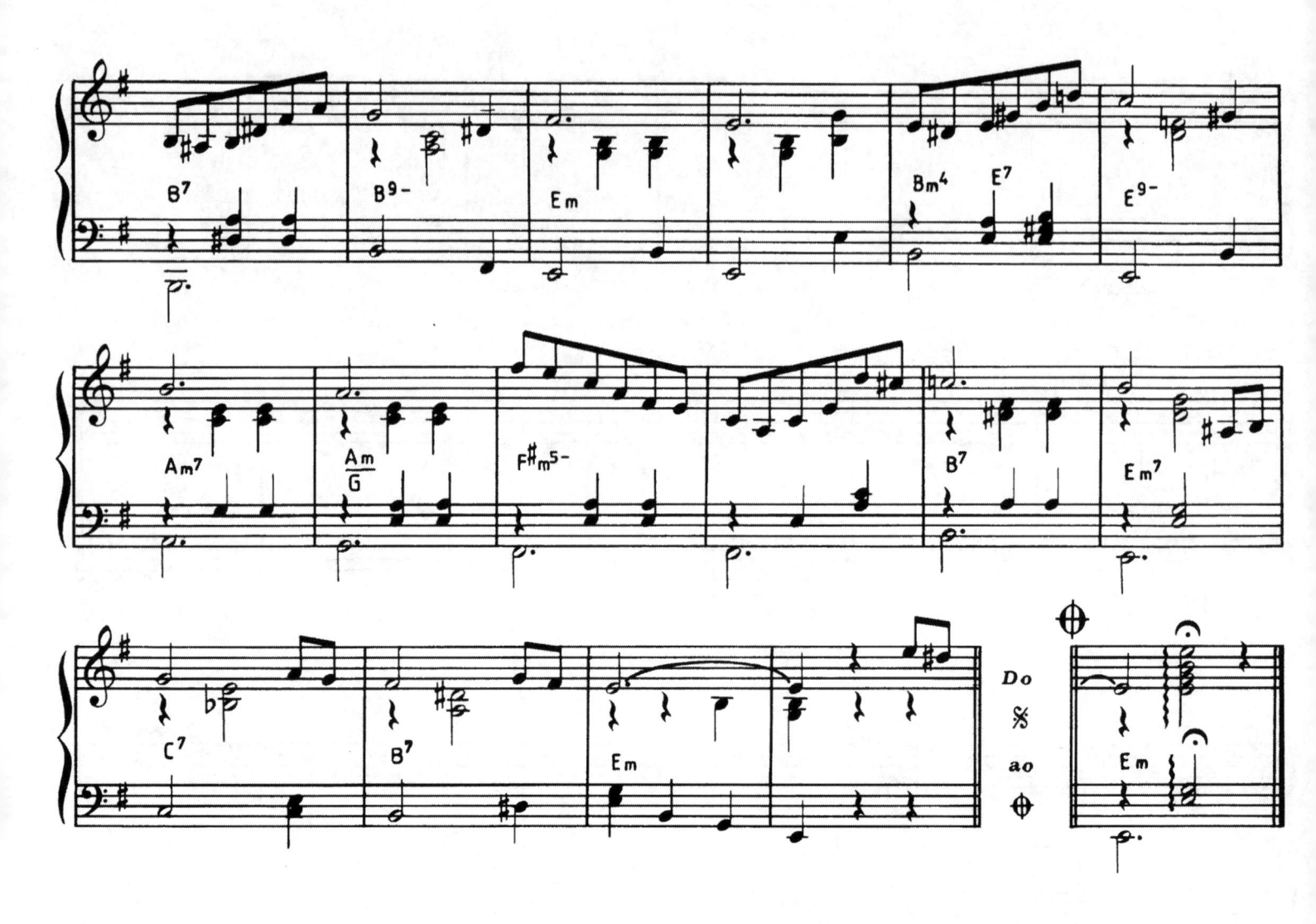

TOM — MI MENOR
Em   B7   Em

Introdução: C7   B7   Em   F#m5-   B7

      Em   C9
Se ela um dia, por acaso perguntar por mim
Am7   B7   F#m5- Em
Diga, por favor, que eu sou feliz...
B7   Em   Bm7
É preciso a própria mágua disfarçar assim,
            G#m5- C#7   F#m5- B7
Dissimulando a dor   a sombra de um sorri — so...
  Em   C9
Coração talvez não tenha aquela por quem dei
Am7   B7   F#m5- B7 Em
Tudo o que sofri e que   sonhei
E7   Am7   B9   Em
Estrela solitária que no céu do meu amor
                      C7
Eternamente, desde que brilhou,
B7   Em
Nunca se apagou!

B7   B9-   Em
Esperança de revê-la ainda
                      Am
Bm4   Am7   G
Amargura de poder somen— te
F#m5-   Am   Em7
Suplicar por ela, assim, alucinadamente
F#7
Na paixão
            C7
Que é perdição
No amor
            B7
Que é somente dor
            F#o
Feliz porque não diz
As lágrimas que
B7   B9-   Em
Sempre, sempre, esconderei sorrindo
Bm4   E9-   Am7
Desfolhando apenas malmequeres,
F#m5-   B7 Em7
Pois ferir o coração é próprio das mulheres
  C7   B7   Em
E sofrer, mesmo assim, é VIVER!

Estão voltando as flores

Marcha-Rancho

Paulo Soledade

D
Am7
D7
G9 7M
1.
G
Bm7
E7
Em7
A13
2.
G7M
Em9
A7
Orq.
D
G
D13
G7M
Cm7
F7
Bm7
E7
Am7
E7

TOM — RÉ MAIOR
D   A7   D

Introdução: D7M   Em   A7   D7M   Bm   Em   A13

D7M   A5+ D7M   Gm7 C7   B7
Vê,   estão voltando as   flo — res
Em7 B7 Em   Gm6   A7
Vê,   nessa manhã   lin — da
D   Am7   D7   G7M G
Vê,   como é bonita a   vi — da
Bm7   E7   Em7   A13
Vê,   há esperança   ain — da.

D7M   A5+ D7M   Gm7 C7   B7
Vê,   as nuvens vão   passan — do
Em7 B7 Em   Gm6   A7
Vê,   um novo céu se abrin — do
D   Am7   D7   G7M   G
Vê,   o sol   iluminan— do
Em9   A7   D
Por onde nós vamos indo.

Influência do Jazz

Samba-Bossa

Carlos Lyra

© Copyright by Carlos Lyra
Todos os direitos reservados - All rights reserved

Am
F#m5-
Bm5-
E7
Am7
Abo
Gm7
C7
Gm9
C7
F7M
Dm7
Gm7
C13
F7M
F
Cm7
F7
Bb
Eb9
F9-
A
Abo
Gm7
Bb
C
F
D9-
ao
e
Gm7
Bb
C
F 9 7M

TOM — FÁ MAIOR
F   C7   F

Introdução: Gm7   C7   F7M   C7

I

    Gm7   C7   F7M
Pobre samba meu

   Dm7   Gm7
Foi se misturando
        C7
Se modernizando
    F7M
E se perdeu

F   F7M   Cm7
   E o rebolado
         F7
Cadê não tem mais
        Bb7M
Cadê o tal gingado
        Eb7
Que mexe com a gente
     F9
      A
Coitado do meu samba
  Ab°   Gm7
Mudou de repente
  Bb
  C   F   D9+
Influência do jazz

  Gm   C7   F7M
Quase que morreu

  Dm7   Gm7
E acaba morrendo
        C7
Está quase morrendo
     F7M
Não percebeu

F   F7M   Cm7
   Que o samba balança
        F7
De um lado pro outro
     Bb7M
O jazz é diferente
     Eb7
Pra frente e pra trás
     F9
      A
E o samba meio morto
  Ab°   Gm7
Ficou meio torto
  Bb
  C   F Bm5— E7 Bm5— E9+
Influência do jazz

II

  Am
O afro cubano
  E7
Vai complicando
  Am7
Vai pelo cano
  F#m5-
Vai
  Bm5-
Vai entortando
  E7
Vai sem descanso
  Am7 Ab° Gm7
Vai, sai, cai
     C7
Do balanço
Gm7   C7   F7M
Pobre samba meu
  Dm7   Gm7
Volta lá pro morro
      G13
E pede socorro
    F7M
Onde nasceu
 F   Gm7
Pra não ser um samba
      F7
Com notas demais
        Bb
Não ser um samba torto
     Eb9
Pra frente e pra trás
     F9
      A
Vai ter que se virar
  Ab°   Gm7
Pra poder se livrar
  Bb   9
  C   F7M
Da influência do jazz

Deusa da minha rua

Valsa

Newton Teixeira
e Jorge Faraj

© Copyright 1944 by Irmãos Vitale S.A. Ind. e Com. - S. Paulo - Rio de Janeiro - Brasil
Todos os direitos autorais reservados para todos os países — All rights reserved

2.
F7 Fm B♭13 E♭ E♭m6 B♭/D
G7 Cm7 F9- B♭ Fim Gm7
Gm7/F A7/E Cm/E♭ D7 Gm D7
Gm A5+ D D7M/F♯ Bm7 Em7 A9
E♭7 D9- Gm7 Gm7/F A7/E Cm/E♭

TOM — Sib MAIOR
Bb F7 Bb
                    G m
Introdução: Cm D7 Gm7 F A5+ D7 Gm Cm7 F13

   Bb   Bb7M
  A deusa da minha rua
   Cm
  Eb   Cm7
  Tem uns olhos onde a lua
 F7   Bb7M F7
  Costuma se embriagar...
   Bb Gm7
  Nos seus olhos, eu suponho
  C7 F7   Dm7
  Que o sol, num dourado sonho,
 Gm C7 F F13
  Vai claridade buscar!

   Bb   Bb7M
  Minha rua é sem graça,
   Cm
  Eb   Cm7
  Mas quando, por ela passa
 F7   Fm Bb13
  Seu vulto que me seduz,
 Eb   Ebm
  A ruazinha modesta
   Bb
   D   G7
  — é uma paisagem de festa
   Cm7 F7 Bb
  — é uma cascata de luz!

          Gm7
      Gm7 F
     Na rua, uma poça d'água
      A7   Cm
      E   Eb
     — Espelho da minha mágoa,
      D7   Gm
     Transporta o céu para o chão,
   D7 Gm   A5+
     Tal qual, no chão da minha vida,
           D7M
      D7 F# Bm7
     A minha alma comovida,
   Em7 A9 Eb7 D9—
     O meu pobre coração...

          Gm7
      Gm7 F
     Espelhos da minha mágoa,
      A7   Cm
      E   Eb
     Meus olhos são poças d'água
         Fm
      D7 Ab G7
     Sonhando com seu olhar...
     Cm D7   Gm
     Ela é tão rica e eu tão pobre...
      Gm   A7
     Eu sou plebeu e ela é nobre...
           Eb
      D7 Gm F F13
     Não vale a pena sonhar...

Jangadeiro
História triste de uma praieira

Canção

Letra de
Ademar Tavares

Música de
Stefana Macedo

TOM — RÉ MENOR
Dm   A7   Dm

Introdução: *Dm   Em5-   A7   Dm   A7   Dm*

      Dm   Em5-
    Era o meu lindo jangadeiro,
      A7   Dm Em5-
    De olhos da côr verde do mar.
A7 Dm
      F   Dm   Em5-
    (Também como ele, traiçoeiro)
                 Dm
    A7   F
    Mentiu-me tanto o seu olhar!
    Am5- D7   Gm Gm7
    Ele levara o dia inteiro,
    Am5—   Dm Em5-
    Longe, nas águas, a pescar...
A7 Dm   Gm
    F   Dm7   Bb
    E eu, intranquila, o seu veleiro,
    Em5-   A7   Dm
    Lá, no horizonte, a procurar.

    Dm   Em5-
    Mas quando a tarde escurecia
      A7   Dm Em5-
    E o sino punha-se a tocar
A7 Dm
    F   Dm   Em5-
    A badalar Ave-Maria,

               Dm
    A7   F
    Vinha uma vela sobre o mar...
    Am5-   D7   Gm Gm7
    Era o meu lindo jangadeiro,
    Em5-   Dm Em5-
    No seu veleiro, a regressar.
                   Gm
A7 Dm   Dm7   Bb
    E, a praia, o seu olhar primeiro
    Em5-   A7   Dm
    Buscava ansioso o meu olhar.

A7 Dm   Em5-
    Quanto ditosa me sentia!
    A7   Dm Em5
    Passava os dias a cantar.
A7 Dm
    F   Dm   Em5-
    E a ver se breve escurecia,
      A7   Dm
    — A hora feliz do seu voltar!...
    Am5-   D7   Gm Gm7
    Mas há na vida sempre "um dia",
    Em5-   Dm Em5-
    Dia de um sonho se acabar...
                   Gm
A7 Dm   Dm7   Bb
    E esse me veio, em que não via,
    Em5-   A7   Dm
    O seu veleiro regressar!...

    Dm   Em5-
    Não mais voltou o seu veleiro
    A7   Dm Em5-
    Não mais o vi por sobre o mar
A7 Dm
    F   Dm   Em5-
    Aquele olhar lindo e traiçoeiro,
                 Dm
    A7   F
    Não buscou mais o meu olhar...
    Am5-   D7   Gm Gm7
    Mas uma tarde, alviçareira,
    Em5-   Dm Em5-
    O sino ouvi a repicar!... Gm
A7   Dm   Dm7   Bb
    — Era o meu lindo jangadeiro
    Em5-   A7   Dm
    Que ia com outra se casar...

Folhas Secas

Samba

Nelson Cavaquinho e
Guilherme de Brito

TOM — DÓ MAIOR
C G7 C

Introdução: Dm G C Am7 Dm G7 C9⁶ G13

I

C9⁶   Gm
                         Bb   A7
     Quando eu piso em folhas se—cas
Dm7   Ab7   G7
     Caídas de uma manguei—ra
Dm7   G7   F7
     Penso na minha escola
         C
         E   F#°
     E nos poetas
              Dm7 G7   G13
     Da minha estação primeira
C9⁶   Gm
                       Bb   A7
     Não sei quantas ve—zes
Dm7   Ab7 G7
     Subi o morro cantan—do
Dm7   G7   F7
     Sempre o sol me queimando
       C   Am   Dm7 G7 C
     E assim vou me a— ca—bando

II

F#m5—   F7   Em
Quando o tempo avisar
Em5-   A5+ Dm7
Que eu não posso mais cantar
                  9   9
Fm Dm5- G5+   C7M   C7M
Sei que   vou sentir saudade
              D7
Ao lado do meu violão
 Fm   G7   G13
Da minha mocidade

Voltar ao I e para terminar:
C   Am   Am G7   C
E assim vou me a—ca—bando

                              5+   7
F#m5- B5+ Bb11+ A7 Ab7M C9+ C9M

Disse me disse

Samba

Pedro Caetano e
Claudionor Cruz

TOM — RÉ MENOR
Dm A7 Dm

Introdução: Em5- Bb **Gm** A7 Dm Gm6 Dm **Dm** C Bb7M A7 Dm Bb7M

       Gm
Em5- Bb A7
Chega
         Dm
Eu já sei o que vens me dizer
Am5- D7 Am5-
Chega
   D9-   Gm
Eu não quero saber
     G°
Se ela é falsa
    A7 Dm
Deixa a tristeza comigo
F9
C   Bb7M
Quem fala dela
                5+
    A7   Dm Em5- A9-
Não pode ser meu amigo

Bb7 A7
Disse me disse
                 Dm Dm9
É sempre uma fonte de dor
D7
Acreditar em tolice
           Gm
É matar um amor
Gm7 E5- A7
Sou feliz, muito feliz
      Dm
Porque não ligo
F9
C   Bb
Quem fala dela
                      Dm
   A7   Dm Gm9 F
Não pode ser meu amigo.

Vera Cruz

Milton Nascimento
e Marcio Borges

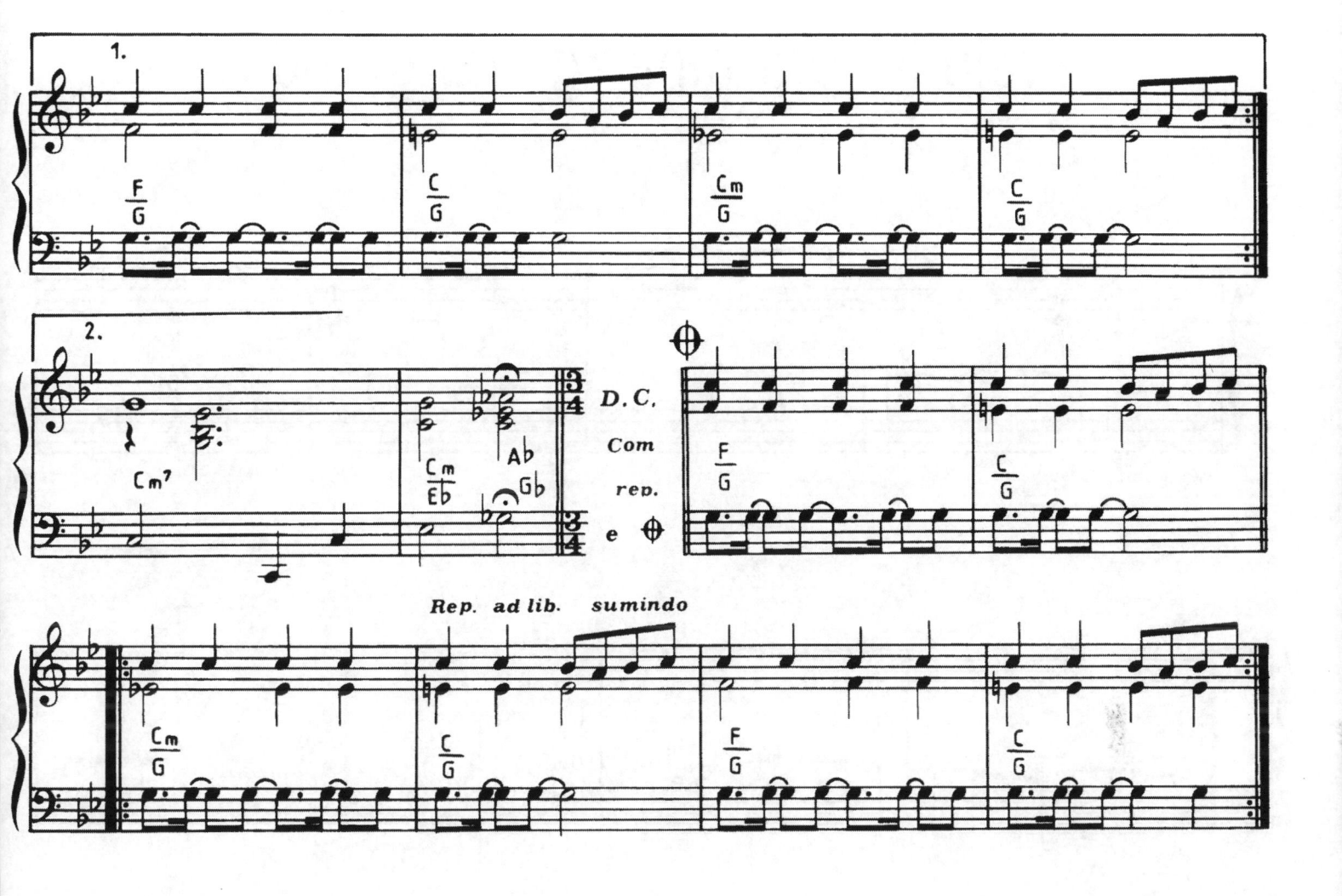

TOM — SOL MENOR
Gm D7 Gm

Introdução: *Gm Bbm9 Am7 Abm7 Gm F#m7 D7*

```
    Gm7           Bbm9
    Hoje foi que a perdi
               Am7
    Mais longe já nem sei
               Abm7
    Me levam para o mar
Gm7            F#m7
    Em vela me larguei
           D
           C
    E deito nesta dor
           G    Eb
           F    G
    Meu corpo sem lugar

    Gm7           Gm7M
    La la la la la la iê
    Gm7      Eb
    La la la la la iá
    Dm9      Cm7
    La la la la la iá
             Bm7
    La la la iá la iê
    Bb7       Eb7M
    La la la iá la iê
         F
         G
    La la la la la rá
```

```
    Gm7           Bbm9
    Quero em outra mansidão
               Am7
    Um dia ancorar
               Abm7
    E aos ventos me esquecer
Gm7            F#m7
    Que ao vento me amarrei
           D
           C
    E nele vou partir
           Eb
           G
    Atrás de Vera Cruz

    Gm7   Gm6    Gm7M
    Ah!... quisera encontrar
    Gm7      Eb
    A moça que se foi
    Dm9      Cm7
    No mar de Vera Cruz
             Bm7
    E o pranto que ficou
    Bb7       Eb7M
    No norte... me perdi
                 F
         Dm7     G
    Nas coisas de um olhar
```

Prelúdio pra ninar gente grande

Letra e Música
de Luiz Vieira

TOM — DÓ MAIOR

```
        C  G7  C
                        G  C              Fm6
Introdução: F  F  E  Am7  Dm  C  G
```

C   G#º   Am
Quando estou nos braços seus
                       B
  Dm7 G7 C A
Sinto o mundo bocejar
Em B9- Em
Quando estás nos braços meus
      F#m5- B9-   Em   C7
Sinto a v i d a descansar
F   Em Dm   G7
No c a l o r do teu carinho
C7M Bb7 Em5-   A7
S o u m e n i n o passarinho
                Gm
   Dm7 G7   C C7
Com vontade de voar
     G C
F F E   Am7
Sou menino passarinho
                Fm6
   Dm G7 C G
Com vontade de voar.

PARA TERMINAR:
   Dm7
   G G7 C
Com vontade de voar.

Pétala

Djavan

TOM — LÁ MAIOR
A E7 A

Introdução: A C#m7 D Esusp E7

A C#m7 D Esusp E A
O seu amor
  C#m7
Reluz
    D
Que nem riqueza
     G   A
Asa do meu destino
     C#m7 D
Clareza do tino
   E7
Pétala
A   C#m7
De estrela caindo
 D
Bem devagar

A C#m7   D Esusp E A
O meu amor
  C#m7
Viver

  D
É todo sacrifício
  G   A
Feito em seu nome
        C#m7
Quanto mais desejo
D   E7
Um beijo, seu

A   C#m7
Muito mais eu vejo
   D   Dm6
Gosto em viver... viver
A   C#m
Por ser exato
D   B5- Dm6
O amor não cabe em si
A   C#m
Por ser encantado
D   Dm
O amor revela-se
  C#m
Por ser amor

Dm6 E13 A D A
           E
Invade e fim.

Não dá mais para segurar

(Explode Coração)

Canção

Gonzaguinha

Eb11+
Dm7
Dm5+
Dm6
Dm7
Dm7M
Gm7
Gm5+
Eb7M
Em5-
Eb7M
C9
F7M
Bb7M
Bm5-
E9+
Em9
A9-
Dm
Dm7M
Dm7
Dm6
Gm7
Gm7M
Gm7
Gm6

TOM — RÉ MENOR

Dm   A7   Dm

Introdução: Dm9   Bb^{Gm} Em9   A5+^{9}

```
      Dm              Dm7M    Dm7
      Chega de tentar dissimular
                      Dm6
      E disfarçar e me esconder
         Gm             Gm7M
      O que não dá mais prá ocultar
         Gm7          Em5—
      E eu não quero mais calar
                          9
         Eb7M         Eb7M
      Já que o brilho desse olhar
         C7          F7M
      Foi traidor e me entregou
         Bb7M         Em5—
      O que você tentou conter
Bm5—     E9+      E9—   Em9   Eb11+
      O que você não quis desabafar
```

```
      Dm7            Dm5—
      Chega de temer, chorar
                   Dm6
      Sofrer, sorrir, se dar
      Dm7    Dm74       Gm7
      E se perder   e se achar
             Gm7          Eb7M
      E tudo aquilo que é viver
             Gm5—       Eb7M
      Eu quero mais é me abrir
                  C7
      Que essa vida entre assim
               F7M
      Como se fosse o sol
             Bb7      Bm5—
      Desvirginando a madrugada
          E9+              Em9   A7
      Quero sentir a dor dessa manhã
         Dm        Dm7+    Dm7
      Nascendo, rompendo, rasgando
                Dm6
      Meu corpo e então
          Gm7        Gm7M
      Eu chorando, gostando, sofrendo
         Gm7      Gm6
      Adorando, gritando
         Eb7M               C7
      Feito louca alucinada e criança
         F7M                Bb7M
      Eu quero o meu amor se derramando
           Bb7M          E9—
      Não dá mais prá segurar
             A9—        Dm
      Explode coração
```

Café da manhã

Roberto Carlos
e Erasmo Carlos

F
A7
A
Dm
Cm7
F7
B♭
C7
F
Dm
Gm
Gm7
C7
F
F
B♭
A7
Dm
G7
Gm7
C7
a o
e
F
Cm7
F7
B♭
C7
F

TOM — FÁ MAIOR
F   C7   F

Introdução: F   Gm   Gm   C7   F

    F
    Amanhã de manhã
       A7
    Vou pedir o café prá nós dois
      Dm   Dm7
    Te fazer um carinho e depois
      Cm7 F7
    Te envolver em meus braços
  Bb   C
    E em meus braços
C7   C7   F   Dm
    Na desordem do quarto esperar
    D9—   Gm
    Lentamente você despertar
       C C7
    E te amar na manhã
     F
    Amanhã de manhã
       A7
    Nossa chama outra vez tão acesa
    Dm
    E o café esfriando na mesa
    Cm7 F7
    Esquecemos de tudo
    Bb
    Sem me importar
C7   F
    Com o tempo correndo lá fora
Dm   Gm
    Amanhã nosso amor não tem hora
Gm7   C7   F Bb A7
    Vou ficar por aqui

Bis {
F7
C7
Dm
Gm7
}

     A7
    Pensando bem
       Dm
    Amanhã eu nem vou trabalhar
    Além do mais
          Gm7   C7
    Temos tantas razões pra ficar
      F
    Amanhã de manhã
        A7
    Eu não quero nenhum compromisso
        Dm
    Tanto tempo esperando por isso
        Cm7
    Desfrutemos de tudo
  Bb
    Quando mais tarde
            F
    Nos lembrarmos de abrir a cortina
        Gm
    Já é noite e o dia termina
  C7   F
    Vou pedir o jantar
      Gm
    Nos lençóis macios
C7   F
    Amantes se dão
Bb7M   Em5-
    Travesseiros soltos
      Dm
    Roupas pelo chão
       Gm
    Braços que se abraçam
C7   F
    Bocas que murmuram
      Em5-
    Palavras de amor
  A7   Dm
    Enquanto se procuram

Gente humilde

Canção

Música: Garoto
Letra: Vinicius de Moraes e
Chico Buarque de Hollanda

TOM — SOL MAIOR
G D7 G

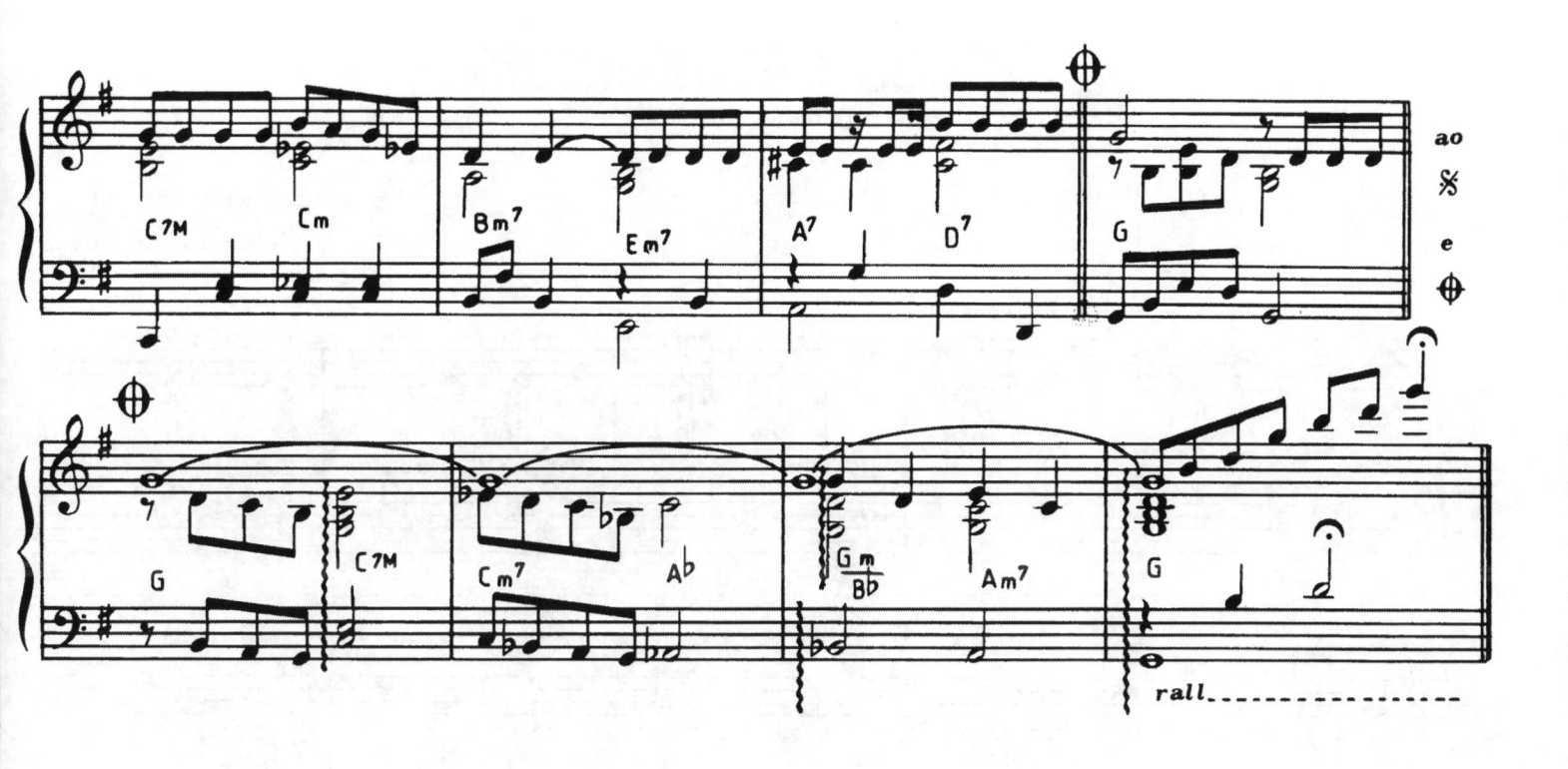

Introdução: C7M Cm7 Bm7 E7 A7 D7 G

      Bm
Tem certos dias
  Bbº   Am7
Em que eu penso em minha gente
  C
  D
E sinto assim
  D7   G7M
Todo o meu peito se apertar
  Bm
Porque parece, que acontece
  Am7
De repente
            D7
Como um desejo de eu viver
  G7M
Sem se notar
  G   Bbº
Igual a como, quando eu passo
  Am7
No subúrbio
  C
  D   D7
Eu muito bem, vindo de trem
  Dm G13
De algum lugar
  C7M   Cm
E aí me dá, como uma inveja
  Bm7
Dessa gente
Em7   A7
   Que vai em frente
  D7   G
Sem nem ter com quem contar

      Bm
São casas simples
  Bbº   Am7
Com cadeiras na calçada
  C
  D   D7
E na fachada, escrito em cima
  G7M
Que é um lar.
  Bm
Pela varanda, flores tristes
  Am7
E baldias
            D7
Como a alegria, que não tem
  G7M
Onde encostar
  G   Bbº
E aí me dá, uma tristeza
  Am7
No meu peito
  C
  D   D7
Feito em despeito, de eu não ter
  Dm7 G13
Como lutar
  C7M
E eu que não creio
  Cm   Bm7
Peço a Deus por minha gente
Em7   A7
É gente humilde
                           Gm
  D7   G C7M Cm7 Ab Bb Am7 G
Que vontade de chorar

Samba em prelúdio

Baden Powell
e Vinicius de Moraes

TOM — SOL MENOR
Gm D7 Gm

Introdução: Eb9 D9— Gm9 Cm9 D7⁵⁺

Gm
Eu sem você
  D7
Não tenho porque
  Dm5- G9-
Porque sem você
  Cm
Não sei nem chorar
  Am5- D7
Sou chama sem luz
  Gm
Jardim sem luar
  A7
Luar sem amor
  Am5- D9-
Amor sem se dar
Gm
Eu sem você
  D7
Sou só desamor
  Dm5- G9-
Um barco sem mar
  Cm
Um campo sem flor
  Am5- D7
Tristeza que vai
  Gm
Tristeza que vem

        Eb9   D7 D9— Gm Am5- D7
Sem você, meu amor, eu não sou   ninguém
Gm Gm7 Eb7 Am5- D7
Ai   que sauda — de
        Fm
  Ab   G5+   Cm Cm7
Que vontade de ver renascer nossa vida
Am5- D7   Gm7
Vol — ta, querido
        Gm5-   C9-
Os meus braços precisam dos teus
    Am5-   D7
Teus braços precisam dos meus
Gm Gm7 Eb7 Am5- D7
Es — tou sozi — nha
        Fm
  Ab   G5+   Cm Cm7.
Tenho os olhos cansados de olhar para o além
Am5- D7 Gm
Vem   ver a vida
    Gm5-   D7   Gm
Sem você, meu amor, eu não sou ninguém
    Gm5-   D7   Gm Cm Gm9¹¹
Sem você, meu amor, eu não sou ninguém

As rosas não falam

Cartola

TOM — SOL MENOR
Gm   D7   Gm

Introdução: Gm7   A7   C#°   A°   Gm / Gb   Eb7M   D9—

Gm   Gm9
Bate outra vez
      Gm7   Cm   Cm/Bb
Com esperanças o meu coração
              A7   A° D7 Gm/Bb   Eb7m
Pois já vai terminando o verão   enfim
       Gm/Bb
D9—
Volto ao jardim
Gm7   A7
Com certeza que devo chorar
A7   Am5-   D7
Pois bem sei que não queres voltar
         Gm
D9-   Bb   Fm9
Para mim

G5+
  9-   Cm7
Queixo-me às rosas
              4
Am5-   Dsusp Gm9   Gm7   Eb7M
Mas que bobagem   as rosas não falam
                Bb°
Simplesmente as rosas exalam
Bb°   E°   Am5-   D9-
O perfume que roubam de ti, ai...

                                                        Cm
       Gm   Cm7   Cm/Bb
Bis   Devias vir para ver os meus olhos tristonhos
       Bbm6   A7   D9—   Gm Eb7M   D7
      E quem sabe sonhavas os meus sonhos por fim
               Cm7 Gm Am5-   Gm
Para terminar: por fim

Bachianas brasileiras n.º 5

1.ª Parte da Aria (Cantilena)

Letra de
David Nasser

Música de
Heitor Villa-Lobos

© Copyright 1979 by Irmãos Vitale S.A. Ind. e Com. - S. Paulo - Rio de Janeiro - Brasil
Todos os direitos autorais reservados — All rights reserved

TOM — LÁ MENOR
Am E7 Am

Introdução: Am Dm C E7 Am Dm C E E$\overset{4}{\text{susp}}$ E7

	Am Dm E7 Em7	G$\overset{4}{\text{susp}}$ G7 C
	Vai por este céu vazio de esperança	Ai, a eternidade
	A7 Em5- A7 Dm	F7M Bm5-
	Vai minh'alma regressar	Ai, este meu grito
	D7 Gm	E7 Am
	Para os meus, ao meu lugar	Ai, tudo perdido
		Dm
C7	F Bb	F E7 Am
	Este chão de todos nós	Ai a esperança
	Em$^{7}_{5-}$ A7 Dm	Dm
	Quando alguém me escutar	E E7 Am7 Bm5- E7
		O infinito
G7	C F7M E7	
	Vai lembrar... vai lembrar...	Dm
	Am	E E7 Am Dm Am
	A minha voz, as preces	Para terminar: O infinito
	E7 A	
	Que deixei quando parti	
	A7 Dm7	
	Dando tudo pra não ir.	

Atrás da porta

Samba-Canção

Chico Buarque de Hollanda
e Francis Hime

A♭7M
Fm
Fm/E♭
Dm5-
G5+
C7M
F7M
Bm7
E9-
Am
A♭7
F/G
G13
Gm4
G♭7
Fm 7M
Fm7
Am5-
A♭7
F/G
G7
A♭7M
Fm9
Dm5-
G5+
Cm7

TOM — DÓ MENOR
Cm   G7   Cm

Introdução: F G13 G5+ Cm9

                Fm
            Fm7   Eb   Dm5-
Quando olhaste bem nos olhos meus
      Ab7   Cm7
E o teu olhar era de adeus
       Cm
    Bb   Ab7
Juro que não acreditei
      G7
Eu te estranhei,
   Gm4   Gb7   Fm7M Fm7
Me debrucei sobre o teu corpo e duvidei
                   F
Am5-   Ab7   G
E me arrastei, e te arranhei,
      G7   Ab7M
E me agarrei nos teus cabelos
             Fm
    Fm7 Eb   G5+
No teu peito,   teu pijama, nos teus pés
    C7M
Ao pé da cama
    F7M   Bm7
Sem carinho, sem coberta,
                             F
  E9-   Am   Ab7   G G13
No tapete atrás da porta, reclamei baixinho
Gm4   Gb7   Fm74 Fm7
Dei prá maldizer o nosso lar,
                       F
Am5-   Ab   G
Prá sujar teu nome, te humilhar,
      G7   Ab7M
E me vingar a qualquer preço
      Fm9   Dm5-
Te adorando pelo avesso

G5+ G^9_{5+}
                           Cm7 Ab13
Prá mostrar que inda sou tu— a...
F
G   G13   G5+   Cm7 cm9 Ab11+
Até provar que inda sou tu ——— a
F
G   G13   G5+   C7M $C^9_6 7M$
Hum hum hum hum hum hum hum hum

O bêbado e a equilibrista

João Bosco
e Aldir Blanc

A7M
D9
C#m7
Bm7
E 4 sus
E7
A7M
F#m7
Bm7
E7/B
A
D7
A 6/9
D9
A
D9
A 7M/6
C#m5-
F#7
C#m5-/E
F#7
Bm7
A13
A
D 6/9
Dm7
G13
G7
A 6/9
Bm7
C#m7
F#m7
Bm7

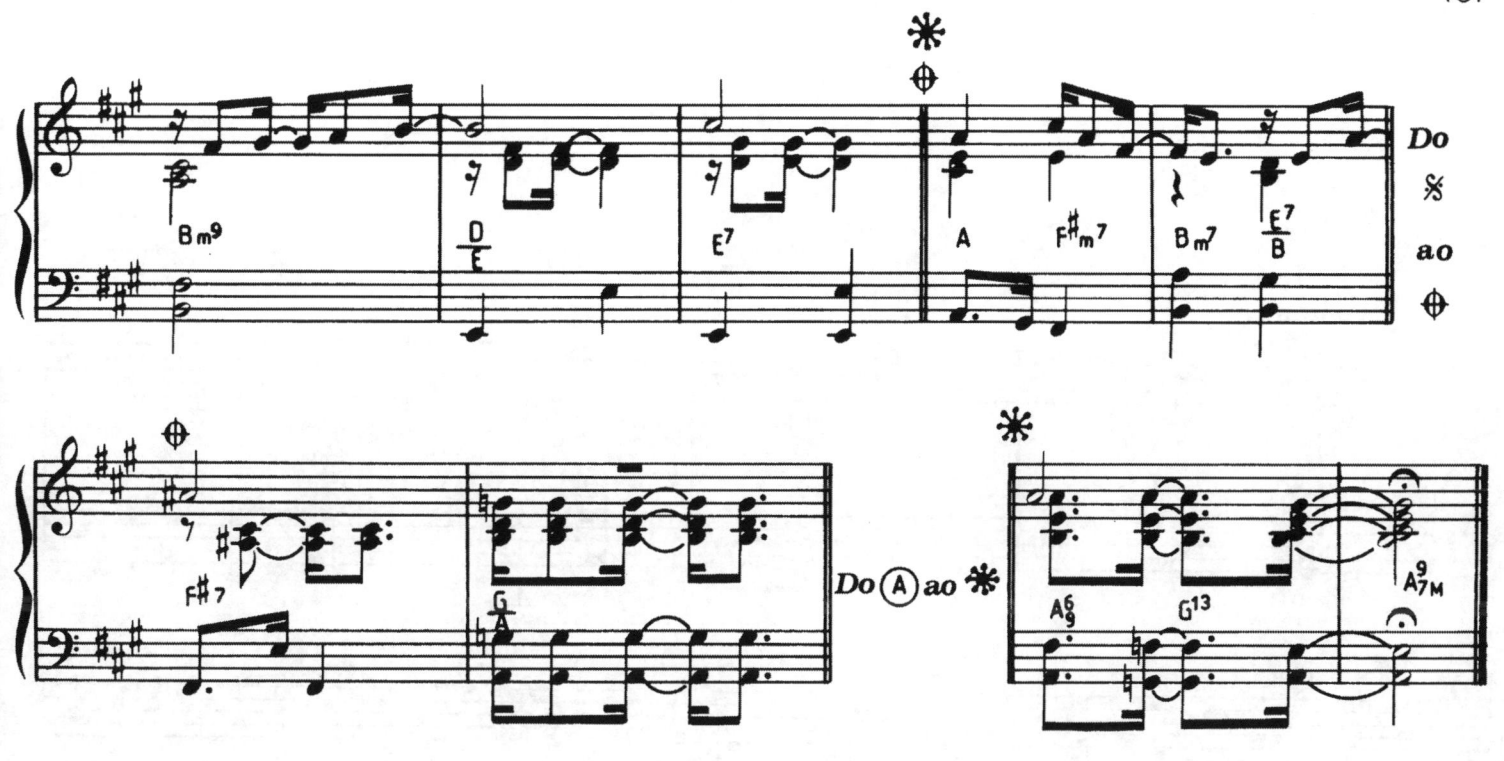

TOM - LÁ MAIOR
A E7 A

Introdução: A7M C#m7 F#m7 Bm Bm7 E7 Bm7 E13 A9 ^{6} ^{D} E E7

    A7D7
Caía
                    6
    A7M   G7 A9
A tarde feito um viaduto

D7   A^6 D7M A7M   C#m7   Bm7
E um bebado trajando luto
A7M C#m5- F#11   Bm7 Bm6
Me lembrou C a r l i t o s

       Em7 F#m7
A l u a   6
G13   G7   A9
Tal qual a dona do Bordel
A7M   D9   C#m7
Pedia a cada estrela fria
              4
Bm7   Esusp E7 A7M F#m7 Bm7
Um brilho de   a l u g u e l

E7
 B   A D7
   E nuvens
A$_9^6$
      D9   A D9,
Lá no mataborrão do céu
A7M   C#m5- F#7
Chupavam manchas t o r t u r a d a s
C#m5- F#7 Bm7 A13
Que s u f o c o

   6
D9 Dm7
Louco

                    6
G13   G7   A9 Bm7
O bebado com chapéu-côco
C#m7   F#m7   Bm7
Fazia irreverências mil
        D
Bm9   E E7 A
Pra noite do Brasil
         E7
F#m7 Bm7 B
Meu Brasil...

     A7M D7
Que s o n h a   6
     A7M   G7   A9
Com a volta do irmão do Henfil
D7   A   D7M   A7M C#m7 Bm7
Com tanta gente que partiu
A7M C#m5—   F#11 Bm7 Bm6
Num rabo de foguete

    Em F#m7
Chora
G13   G7   A7M
A nossa Pátria-Mãe Gentil
A7M   D9   C#m7
Choram Marias e Clarisses
               4
Bm7   Esusp E7 A7M F#m7 Bm
No solo do   Brasil

E7
 B   A D7
   Mas sei
A7M   D9   A   D9
Que uma dor assim pungente
A7M   C#m7 F#7
Não há de ser inutilmente
C#m5- F#7 Bm7 A13 D7 Dm7
A e s p e r a n ç a D a n ç a

                   6
G13   G7   A9 Bm7
Na corda bamba de sombrinha
C#m7   F#m7   Bm7
Em cada passo dessa linha
        D
Bm9   E E7 A
Pode se machucar

   6
D9 Dm
Azar   6
G13   G7   A9 Bm7
A esperança equilibrista
C#m7   F#m7   Bm7
Sabe que o show de todo artista
          D
Bm9   E E7 A A$_9^6$ G13 A$_7^9$M
Tem que c o n t i n u a r

Modinha

Sergio Bittencourt

TOM — RÉ MENOR
Dm   A7   Dm

Introdução: *Gm7   A7   Dm7   E7   Bb7   A7   Dm   Dm7*

          Gm
Olho a rosa na janela
     A7   Dm7
Sonho um sonho pequenino
        Gm7
Se eu pudesse ser menino
  C7   F7M
Eu roubava esta rosa
  Bb7M   Em5-
E ofertava, todo prosa
   A7   Dm7
A primeira namorada
     Dm   5-
     C   Bm7
E nesse pouco quase nada
 E7   A7
Eu dizia o meu amor.
        Dm
O meu amor.

    Dm   Gm
Olho o sol findando lento
    Em5- A7   Dm7
Sonho o sonho de um adulto
        Gm7
Minha voz na voz do vento
  C7   F7M
Indo em busca do teu vulto
  Bb7M   Eb5-
E o meu verso em pedaços
 A7   Dm
Só querendo o teu perdão
  Dm   Gm6
  C   Bb
Eu me perco nos teus passos
    A7   Dm
E me encontro na canção.
      A Dm
G#o G F   Dm
Ai, a m o r, eu vou morrer
  E7   A7   Dm
Buscando   o teu amor.
      A Dm
G#o G F   Dm
Ai, a m o r , eu vou morrer
  E7   A7 Dm
Buscando o teu amor.

Meu bem querer

Djavan

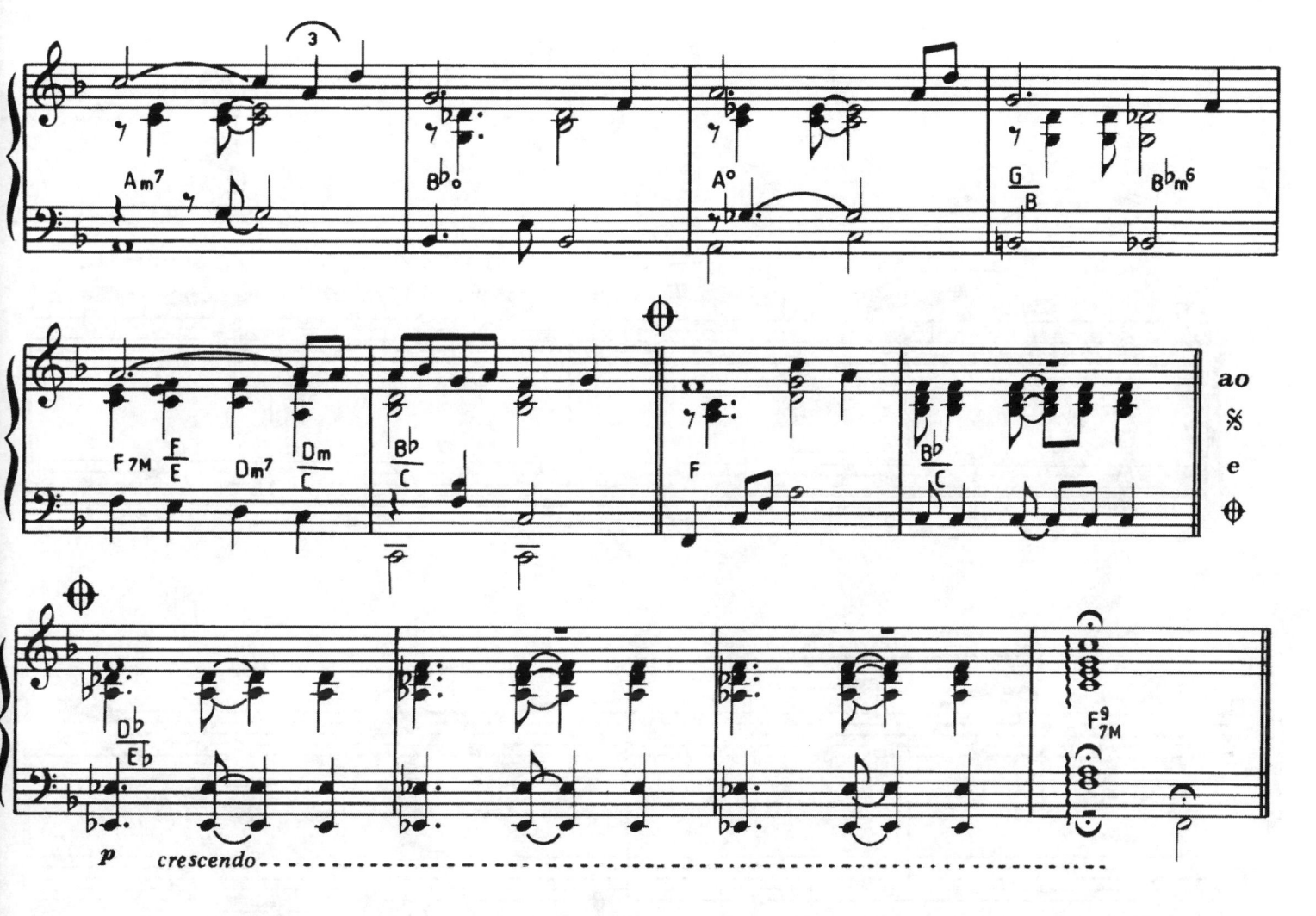

TOM — FÁ MAIOR
F C7 F

Introdução: FM7 Bb/C F7M Gm7

    6   Bb
F9   C
Meu bem querer
                  F7M
É segredo, é sagrado
             Bb
Está sacramentado
        6
        F9 Bb
Em meu coração
             Bb
F   F7M C
Meu bem querer
              F7M
Tem um "que" de pecado

     Bb   F7M E
Acariciado pela emoção
Dm   Am B7
Meu bem querer, meu encanto
         9-
Bb7M   C13
Tô sofrendo tanto
Am7
Amor
    Bb6   A°
E o que é o sofrer

      G   F Dm7 Dm
      B   F7M E   C
Para mim que estou
   Bb   Bb
   C   F C
Jurado pra morrer de amor.

Luar do sertão

Canção

Catullo da Paixão Cearense

© Copyright 1943 by Sampaio Araújo e Cia. (Casa Arthur Napoleão) - Rio de Janeiro
© Copyright 1968 by Editora Arthur Napoleão Ltda. - Rio de Janeiro
Únicos distribuidores no Brasil: Fermata do Brasil

TOM — Sib MAIOR
Bb　F7　Bb

Introdução: Bb　F7　Bb　Cm7　F7　Bb

　　　　　Bb
Oh! que saudades
　　　　　　　Cm7
Do luar da minha terra
　　　　　　F7
Lá na serra branquejando
　　　　Bb
Folhas secas pelo chão!
　　　Bb
Este luar cá dá cidade

　　Cm7　　　　　　　　F7
Tão escuro não tem aquela saudade
　　　Bb
Do luar lá do sertão!

　　ESTRIBILHO:

⎧　　Bb　　　　　　　Cm7
⎨ Não há, ó gente, oh! não,
Bis　　　F7　　　　Bb
⎩ Luar como esse do sertão!

　　　　Bb
Se a lua nasce
　　　　　Cm7
Por detrás da verde mata
　　　　　　F7
Mais parece um sol de prata
　　　　Bb
Prateando a solidão
　　　Bb
E a gente pega na viola
　　　Cm7
Que ponteia e a canção
　　F7
É a lua cheia,
　　　　　　　　Bb
A nos nascer no coração!

　　ESTRIBILHO:

⎧　　Bb　　　　　　　Cm7
⎨ Não há, ó gente, oh! não,
Bis　　　F7　　　　Bb
⎩ Luar, como esse do sertão

　　　　　Bb
Quando vermelha, no sertão
　　　　　Cm7
Desponta a lua dentro d'alma
　　　F7
Onde flutua
　　　　　　　　Bb
Também rubra nasce a dor!
　　　　　Bb
E a lua sobe e o sangue muda
　　Cm7
Em claridade

　　　　　　　　　　　F7
E a nossa dor muda em saudade
　　　　　　　　　　Bb
Branca... assim... da mesma côr

　　ESTRIBILHO:

⎧　　Bb　　　　　　　Cm7
⎨ Não há, ó gente, oh! não,
Bis　　　F7　　　　Bb
⎩ Luar como esse do sertão!

Ai, quem me dera
                      Bb
Que eu morresse lá na serra,
                         Cm7
Abraçado a minha terra
   F7
E dormindo de uma vez!
                  Bb
Ser enterrado numa grota pequenina
    Bb   **Cm7**

Onde, à tarde a sururina
                F7
Chora a sua viuvez!
        Bb

ESTRIBILHO:

         Bb   **Cm7**
Bis { Não há, ó gente, oh! não,
       F7   **Bb**
     Luar como esse do sertão!

    Bb
Diz uma trova,
                Cm7
Que o sertão todo conhece,
            F7
Que, se à noite, o céu floresce,
           Bb
Nos encanta, e nos seduz!
       Bb
É porque rouba dos sertões
    Cm7
As flores belas

            F7
Com que faz essas estrelas
      Bb
Lá do seu jardim de luz!

ESTRIBILHO:

         Bb
Bis { Não há, ó gente etc...

       Bb
Mas como é lindo ver,
              Cm7
Depois, por entre o mato,
            F7
Deslizar, calmo, o regato,
              Bb
Transparente como um véu!
      Bb
No leito azul das suas águas,
    Cm7
Murmurando,

        F7
Ir, por sua vez, roubando
          Bb
As estrelas lá do céu!

ESTRIBILHO:

         Bb
Bis { Não há, ó gente etc...

         Bb
A gente fria desta terra
    Cm7
Sem poesia
                   F7
Não se importa com esta lua,
              Bb
Nem faz caso do luar!
       Bb
Enquanto a onça
             Cm7
Lá na verde capoeira

               F7
Leva uma hora inteira
              Bb
Vendo a lua a meditar!

ESTRIBILHO:

         Bb
Bis { Não há, ó gente etc...

           Bb
Coisa mais bela neste mundo
     Cm7
Não existe,
                F7
Do que ouvir um galo triste.
           Bb
No sertão, se faz luar.
           Bb
Parece até que a alma da lua
         Cm7
É que descanta

             F7
Escondida na garganta
            Bb
Desse galo a soluçar!

ESTRIBILHO:

         Bb
Bis { Não há, ó gente etc...

    Bb
Se Deus me ouvisse
            Cm7
Com amor e caridade,
            F7
Me faria esta vontade,
            Bb
O ideal do coração!
           Bb
Era que a morte a descantar,
         Cm7
Me surpreendesse,

            F7
E eu morresse numa noite
             Bb
De luar do meu sertão!

ESTRIBILHO:

         Bb
Bis { Não há, ó gente etc...

Lígia

Samba-Canção

Antonio Carlos Jobim

D♭9 Dm7 Dm9 G13 G/F Em9 Em7 E♭o
A♭7M F/G Dm7 Dm/C Bm7 B♭13 F7M
F♯o C/G Am9 Am/G F♯m5- B7
Solo
E7M A13 Dm7 Dm9 G5+ Dm7 Dm9 Dm/G G/F Em7
Voz
E♭o A♭7M F/G Dm7 Dm/C Bm7 E9+

TOM — DÓ MAIOR
   C   G7   C

Introdução: Dm7 A5+ Dm7 G5+

```
                    Dm7
  Dm7     Dm9     G                        Dm7        Dm9        G13
  Eu nunca sonhei com você                 Eu nunca quis tê-la à meu lado
       G                          G             Em9
G13    F       Em7                Num fim de semana
  Nunca fui ao cinema      Em7         Ebº            Ab7M
         Ebº                      Um chopp gelado em Copacabana
  Não gosto de samba                F        Dm
       Dm7                        G   Dm7    C     Bm7    Bb13
  Não vou a Ipanema               Andar pela praia    até o Leblon
        G                          F7M           F#º
  Não gosto de chuva              E quando me apaixonei
        Bm7     Bb7                        C              Am
  Nem gosto de sol                         G            Am9   G
     F7M         F#º              Não passou de ilusão o seu nome rasguei
  E quando eu lhe telefonei                   F#m5-
         C                        Fiz um samba-canção
         G                                 B7
  Desliguei foi engano            Das mentiras de amor
       Am9                                  E7M
  Seu nome não sei                Que aprendi com você
      F#m5-                       A13   Dm7 Dm9 G5+
  Esqueci no piano                E,    Ligia   Ligia
         B7
  As bobagens de amor
       E7M                          F7M                F#º
  Que eu iria dizer                 E quando você me envolver
  A13   Dm9  Db9                             C
  Não, Ligia, Ligia                          G              Am9
                                    Nos seus braços serenos eu vou me render
                                  Am7        F#º            B7
                                    Mas seus olhos morenos me metem mais medo
                                            E7M   A13
                                    Que um raio de sol

                                     Dm7  Db9   C⁹7M
                                     Ligia, Ligia.
```

Luiza

Valsa Canção

Antonio Carlos Jobim

TOM — RÉ MENOR
Dm   A7   Dm

Introdução: Gm   A7   Dm9   A5+

   Dm7   G11+
Rua espada nua
      Gm7   A7
Boia no céu imensa e amarela
       9
    Dm7M   G7
Tão redonda, a lua, como flutua,
    Gm7M   D9-
Vem navegando o azul do firmamento
     Gm7
E, no silêncio, lento
                       5+
  C11+   F7M F7M F7
Um trovador, cheio de e s t r e — l a s
  Bb7   A7
Escuta, agora, a canção que eu fiz
     D7M
Pra te esquecer. Luiza
  D9-   Gm7M
Eu sou apenas, um pobre amador apaixonado
   4
 Fsusp
Um aprendiz do teu amor
   Bm5-   E9-
Acorda, amor, que eu sei que embaixo
   G7M   F#7M A7
Dessa neve mora, um coração

    9
 Dm7M   G11+
Vem cá, Luiza, me dá tua mão
  Gm7   A7
O teu desejo é sempre o meu desejo
  Dm7M   G11+
Vem, me exorcisa, me dá tua bôca
  Gm   D9-
E a rosa louca vem me dar um beijo
  Gm7   C7
E um raio de sol, nos teus cabelos
  Cm7   F
Como um brilhante, que, partindo a luz
          7M
  F9- Bb5+
Explode em sete cores
  A7   Ab13
Revelando, então, os sete mil amores
           A7
Que eu guardei, somente, pra te dar,
 Bb7M Gm9 Dm
Luiza

Carcará

Samba

João do Vale e
José Candido

© Copyright by Cruzeiro Musical Ltda. - Rio de Janeiro - Brasil
Direitos adquiridos por Edições Intersong Ltda.
Todos os direitos autorais reservados - All rights reserved.

G7 Dm G7 Dm Gm A7
Dm Gm Dm G7 Dm G7 Dm G7
Dm G7 Dm G7 Dm G7
Dm Gm Dm Gm Dm7
Gm A7 Dm Em5- A7 Dm G7
Dm G7 Dm G7 Dm

TOM — FÁ MAIOR
F   C7   F

Introdução: Dm $\overset{Dm}{C}$ G7   Dm   G7

I

Dm
   Carcará
Em5-   A7
   Pega a mata e come
Dm
   Carcará
Gm
   Não vai morrê de fome
Dm
   Carcará
      Gm
   Mais coragem do que fome
Dm
   Carcará
Em5-   A7
   Pega a matá e come
Dm
   Carcará...

II

    F
   Lá no sertão
Dm
   É um bicho
      G7
   Que avoa que nem avião
      Dm
Dm   C   G7
   Ou é um pássaro malvado
     Dm   G7
   Que tem o bico volteado
   Que nem gavião
Dm
   Carcará
      G7
   Quando vê roça queimada
Dm   G7
   Vai voando e cantando
     Dm
   Carcará
Gm
   Vai fazê sua caçada
Dm
   Carcará
     Gm
   Come inté cobra queimada
Dm   G7   Dm   G7
   Mas quando chega o tempo da invernada
Dm   G7
   No sertão
     Dm   G7
   Não tem mais roça queimada
Dm
   Carcará
      G7
   Mesmo assim não passa fome
Dm   G7
   Os borrégo que nasce na baixada

(Volta ao I)

III

Dm
   Carcará
     G7
   É malvado, é valentão
Dm   G7
   É a água de lá
   Do meu sertão
Dm   G7
   Os borrégo novinho
   Não pode andá
Dm   G7
   Ele pega no umbigo
   Inté matá
Dm   G7   Dm   G7
   Carcará   Carcará
Dm   G G7 Dm
   Carcará

(Volta ao I)

Paralelas

Pop. Lento

Belchior

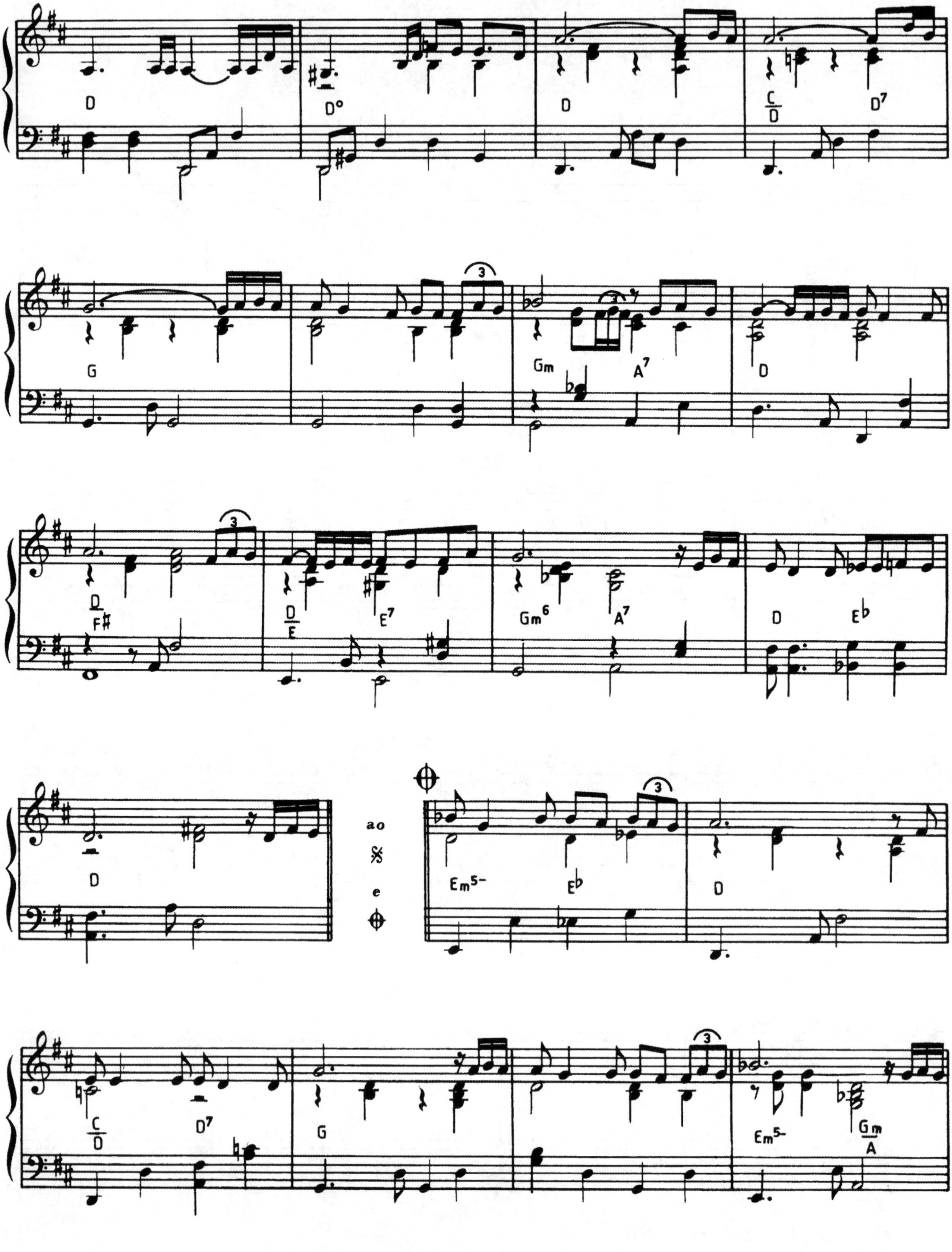
D
D°
D
C/D
D7
G
Gm
A7
D
D/F♯
D/E
E7
Gm6
A7
D
E♭
D
ao
e
Em5-
E♭
D
C/D
D7
G
Em5-
Gm/A

TOM — RÉ MAIOR

Introdução: D A7 D / D D/C G D

D / D/C
Dentro do carro
Sobre o trevo
      G
A cem por hora oh! meu amor
      D/C
Só tens agora
  D7   G
Os carinhos do motor
  D7
E no escritório onde eu trabalho
  G
Eu fico rico
          Em5-
Quanto mais eu multiplico
  D
Diminui o meu amor
        Do
Em cada luz de mercúrio
  D
Vejo a luz do teu olhar
       Do
Passa praças, viadutos
          D D/C G
Nem te lembras de voltar
 G
No Corcovado
         Gm A7
Quem abre os braços sou eu
 D
Copacabana

          D
          F#
Esta semana o mar sou eu
        D
      E   E7
E as borboletas do que fui
         Gm A7   D   Eb
Pousam demais   por entre as flores do asfalto
      D7
Em que tu vais
      C
      D   G
E as paralelas dos pneus na água das ruas
      C
      D
São duas entradas nuas
  D7   G
Em que foges do que é teu
  D7   G
No apartamento oitavo andar abro a vidraça
               Em5-
E grito quando o carro passa
  Eb   D C   D7   G
Teu infinito sou eu, sou eu, sou eu, sou eu

Carinhoso

Choro - Canção

Letra de João de Barro
Música de Pixinguinha

207

TOM - FÁ MAIOR
F C7 F
Introdução: *F7M D9 G7 C9- Db/Eb Db7M Gm7*

                F/C   F/C#
        Meu coração,

A/D F/C#   F7M/C F/C#
       Não sei porque,

F/D F/Eb Am/E F Am/F#
      Bate feliz

      F   Am/E E Am/F#
      Quando te vê

      C/G   Dm7
      E os meus olhos

      G7   C7
      Ficam sorrindo

      F7   Bb
      E pelas ruas

      D9-   G7
      Vão te seguindo

             G13 G13-
      Mas mesmo assim

Bb/C C9-   F C9- F
      Foges de mim.

            C9-   F/C
   Repetir: Meu coração

      E5+   Am/G
      Ah! Se tu soubesses

         Am/G   F7
      Como eu sou tão carinhoso

            E7
      E o muito e muito

        Am
      Que te quero

Am Dm7   G7   C/G
      E como é sincero

      O meu amor

          G4
      Eu sei que nunca

      G7   C7
      Fugirias mais de mim

      Ab° Gm7 C7 F7M Bbm6
      Vem, vem, vem, vem,

      F7M   Bm7
      Vem sentir o calor

      E7 E7 Gm C9/E
      Dos lábios meus

           F7M Em5-
      À procura dos teus

      A7   Dm A7/C# Dm/C
      Vem matar esta paixão

      F7/C   Bb/D   F#°
      Que me devora o coração

      Gm7 Bbm6 F/C
      E só assim, então,

          C13 C7   F/C F/C# F/D F/C#
      Serei feliz, bem feliz.

     Para terminar: F/C F/Eb Db F7M
                      Meu coração

Não existe pecado ao sul do Equador

Marcha

Chico Buarque de Hollanda
e Ruy Guerra

© Copyright 1973 by Cara Nova Editora Musical Ltda.
Todos os direitos autorais reservados - All rights reserved.

C7
F
F#5-
F7
Em7
Ab7/Eb
Dm7
G7
C
Dm7
G7
C
Am7
Dm7
G7
C
Bb7
A7
Dm
F/G
1.
Em7
Dm
G7
C
2.
C
G7
C
F7M
C7M
ao
e
G7
C

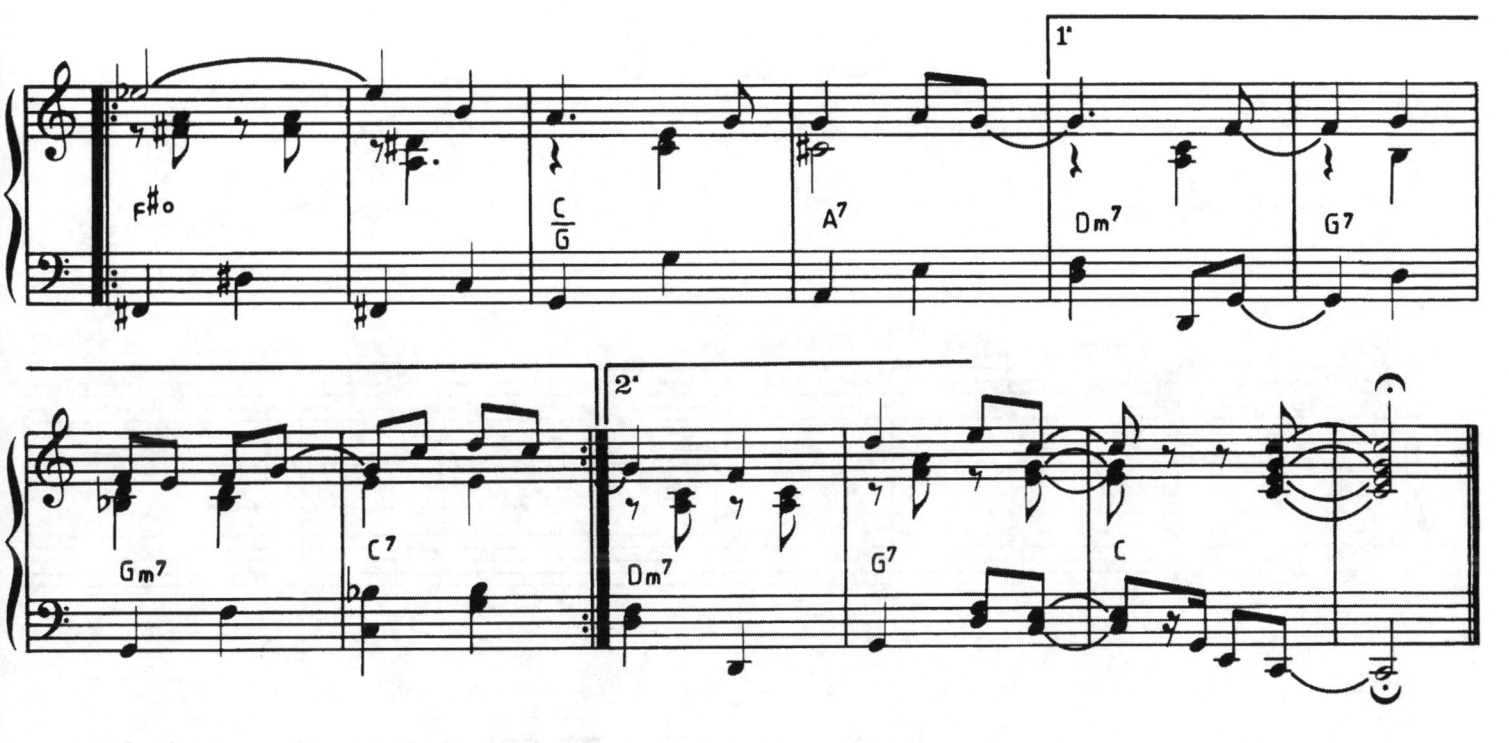

TOM — DÓ MAIOR
C G7 C

Introdução: F#º C/G A7 Dm7 G7 C

                C7M   F7M   Em7   A7   Dm A7 Dm
Não existe pecado do lado debaixo do Equador
      A7   Dm   G7   Dm7   C7M F7
Vamos fazer um pecado, rasgado, suado a todo o vapor
C   Gm7   C7
Me deixa ser teu escracho, capacho, teu cacho
         F
Um riacho de amor
                              Ab7
F#m5-   F7   Em7   Eb   Dm7
Quando é lição de esculacho, olha aí, sai debaixo
  G7   C
Que eu sou professor
           Dm7   G7   C
Deixa a tristeza prá lá, vem comer, me jantar
  Am7   Dm7   G7   C
Sarapatel, Carurú, Tucupi, Tacacá
 Bb7   A7   Dm
Vê se me usa, me abusa, lambuza
  F
  G   Em
Que a tua cafuza
 Dm7 G7 C
Não pode esperar
           Dm7   G7   C
Deixa a tristeza prá lá, vem comer, me jantar
  Am7   Dm7   G7   C
Sarapatel, Carurú, Tucupi, Tacacá
 Bb7   A7   Dm
Vê se me esgota, me bota na mesa
  F
  G   C
Que a tua holandesa
 G7   C
Não pode esperar
                C7M   F7M   Em7   A7   Dm A7 Dm
Não existe pecado do lado debaixo do Equador
     A7   Dm   G7   Dm7   G7   C7M F7
Vamos fazer um pecado, rasgado, suado a todo vapor
C   Gm7   C7
Me deixa ser teu escracho, capacho, teu cacho
         F
Um riacho de amor
                              Ab7
F#m5-   F7   Em7   Eb   Dm7
Quando é missão de esculacho, olha aí, sai debaixo
  G7   C
Eu sou embaixador.

Regra três

Samba

Toquinho e
Vinicius de Moraes

Am5-
D7
G7
Dm4
G13 9-
Cm
D7
Dm7
G7
Gm4
Gm
C9-
Fm
C9-
Fm
Fm7
Bb7
Eb7M
Ab7M
1.
Ab7
G7
Db9
C7
2.
Ab7
G7
Cm
Cm9
Dm5-
G7
Cm7
C7
Gm5-
C7
Fm7

TOM — DÓ MENOR
Cm   G7   Cm

Introdução: *Fm7   Bb7   Eb7M   Ab7M   G7*

  Cm D7 Dm7
Tantas você fez
  G7 Gm7
Que ela cansou
  C7 Fm7
Porque você, rapaz
Fm Bb7 Eb
Abusou da regra três
Am5- D7 G7 Dm4 G9-
Onde menos vale mais ...
 Cm D7 Dm7
Da primeira vez
  G7 Gm4 C9- Fm C9-
Ela chorou mas resolveu ficar
 Fm Fm7 Bb7
É que os momentos felizes
Eb7M   Ab7M
Tinham deixado raízes
  Ab7 G7 Db9 C7
No seu penar

 Fm Fm7 Bb7
Depois perdeu a esperança
Eb7M   Ab7M
Porque o perdão também cansa
  Ab7 G7 Cm
De perdo—ar
Cm9   Dm5- G7 Cm7
Tem sempre o dia em que a casa cai
C7   Gm5-C7 Fm7
Pois vai curtir seu deserto, vai
Fm
Ab   Bb7
Mas deixa a lâmpada acesa
Eb7M   Ab7M
Se algum dia a tristeza
  Ab7 G7 Db9 C7
Quiser entrar
Fm7   Bb7
E uma bebida por perto
Eb7M   Ab7M
Porque você pode estar certo
  Ab7 G7 Ab7M Fm9 C7M
Que vai chorar

Não identificado

Caetano Veloso

Dm Gm C7 F Cm7 Eb/F
Gm Cm7 Gm Cm7 Gm Cm7 Gm Cm7
1. Gm Cm7 Gm7 Cm7 2. Gm Fm7 Bb7
Eb7M Cm7 Eb/F Gm Cm7 Gm
Eb7M Bb/D Gm7 Eb7M Cm7 Gm

TOM — FÁ MAIOR
F   C7   F
                Bb
Introdução: F   C   F   Gm7   C7   F   Gm7   C7

      F   Bb   Gm7   F
Eu vou fazer uma canção pra ela
    Bb7M   Am7 Gm7   F
Uma canção singela,   brasileira
Bb   C9   F   Bb
Para lançar depois do Carnaval.
   F   Bb7M   F
Eu vou fazer   um iê, iê, iê romântico
     Dm   Gm C7 F
Um anti-computador sentimental
       Eb
Cm7   F   Gm   Cm7
Eu vou fazer uma canção de amor
Gm   Cm7   Gm   Cm7
Para gravar num disco Voador
Gm   Cm7   Gm   Cm7
Eu vou fazer uma canção de amor
Gm   Cm7   Gm   Cm7
Para gravar num disco voador
Gm7   Cm7   Gm Cm7
Uma canção dizendo tudo a ela
Gm   Cm7   Gm   Cm7
Que ainda estou sozinho, apaixonado
Gm   Cm7   Gm
Para lançar no espaço sideral

Fm7   Bb7   Eb7M
Minha paixão há de brilhar na noite
           Eb
Cm7   F   Gm   Cm7
No céu de uma cidade do interior
Gm   Eb7M
Como um objeto não identificado
Bb
D   Gm   Eb7M Cm7
Como um objeto não identificado
Gm   Eb7M   Dm7
Que ainda estou sozinho, apaixonado
      Eb   Gm
Cm7   F   Gm   F
Como um objeto não identificado
Eb   Cm7   Gm   Cm7
Para gravar num disco Voador
Gm   Bb13   Eb7M   Cm7
Eu vou fazer uma canção de amor
Gm   Bb13   Eb7M Am5-
Como um objeto não identificado.

Flor amorosa

Samba-Choro

Catullo da Paixão Cearense
e Joaquim Antonio da Silva Callado

Dm D7
Gm
Em5- A7
Dm A7
Dm D7
Gm
Em5- A9-
Dm Gm6
Dm D7
Gm Gm/F
Em5- A7
Dm
2.
Gm C7
F Cm7 F7
B♭
F7
Cm6 F7
B♭
Dm
Em5- A7
Dm F7
B♭
F7
Cm6 F7
B♭
B♭ B♭7
E♭ D♭o
a tempo
Dm G7 Cm7 F7
B♭

TOM — FÁ MAIOR
F   C7   F

Introdução: Bb Bbm⁶ F D7 Gm C7 F

(1.ª PARTE)

      Gm7   C7   F
Flor amorosa, compassiva, sensitiva, oh vê!
Gm   C7 Am   F7   Bb Bbm6   F
Porque?   oh! uma rosa   orgulhosa
D7   Gm C7   F
Presunçosa, tão vaidosa!

      Gm7   C7   F
Pois olha: a rosa tem prazer em ser beijada... é flor
C7   F   F7   Bb Bbm6   Am
É flor! Oh! dei-te um beijo,   mas perdoa
D7   GmC7   F
Foi atoa,   meu amor.

(2.ª PARTE)

  A7   Dm   D7   Gm
Em uma taça perfumada de coral
   A7   Dm7
Um beijo dar, não vejo mal
  Dm   D7   Gm
É um sinal de que por ti me apaixonei
   Em5-   A7 Dm
Talvez em sonhos foi que te beijei.

(2.ª PARTE)

A7   Dm   D7   Gm
Se tu puderes extirpar dos lábios meus
    Em5- A9-   Dm
O beijo teu,   tira-o por Deus
Gm6   Dm   D7   Gm
Vê se me arrancas este odor de resedá
Gm
F   Em5- A7 Dm
Sangra-me a boca... é favor... vem cá.

(1.ª PARTE)

     Gm   C7   F
Eu fiquei triste após depor um doce beijo em ti
Gm   C7 F7   Bb
Em ti!... Mas   quem resiste?
Bbm6   F   D7   Gm C7 F
Tens quebranto! Nem um santo pode tanto
     Gm   C7   F
Depois de te beijar, senti vontade de chorar!
C7   F F7   Bb Bbm6 Am
Chorei! Sim eu te juro,   te asseguro
D7   GmC7
Eu te juro que pequei.

(3.ª PARTE)

F7   Bb   F7
Não deves mais fazer questão
   Cm6 F7   Bb
Já pedi, queres mais? Toma o coração
   Bb   Dm
Oh! tem dó dos meus ais, perdão
   Em5-   A7
Sim ou não? Sim ou não?
   Dm   F7   Bb
Olha que eu estou ajoelhado
        F7
A te beijar, a te oscular os pés
   Cm6 F7   Bb
Sob os teus... sob os teus olhos tão crueis
   Bb Bb7 Eb   Db°
Se tu não me quizeres perdoar
    Dm G7 Cm6 F7 Bb
Beijo algum em mais ninguém eu hei de dar.

(1.ª PARTE)

      Gm7   C7
Se ontem beijavas um jasmim
     F   Gm   C7
Do teu jardim, a mim,   a mim
Am   F7   Bb Bbm6   F
Oh! por que juras   mil torturas
D7   Gm C7   F
Mil agruras por que juras?
     Gm   C7   F
Meu coração delito algum por te beijar, não vê
Gm   C7 Am F7   Bb
Não vê!   Só! por um beijo
Bbm6 Am D7 Gm C7   F
(Um gracejo), Tanto pejo? mas por quê

Amante a moda antiga

Roberto Carlos
e Erasmo Carlos

Moderato

Em A7 D D7M D6 D#o Em7 A7
Em7 A7 D D#o Em C/D D7 G
Gm Gm6 D D/C# Bm E7
A C° C D D7M D6 D7M
D D7 G G Gm F#m B7

TOM — RÉ MAIOR
D A7 D

Introdução: D Em7 A7 D D7M Em7 A7

    D   D7M   D⁶   A13
Eu sou aquele amante à moda antiga,
  D   D#º   Em   B7
Do tipo que ainda manda flores
 Em   A7
Aquele que no peito ainda abriga
  Em7   A5+   D   D7M Em7 A7
Recordações de seus grandes amores.

    D   D7M   D⁶   A13
Eu sou aquele amante apaixonado,
   D   D#º   Em   B7
Que curte as fantasias dos romances.
 Em   A7
Que fica olhando o céu de madrugada
  Em7   A5+   D   D7M D⁶ D#º
Sonhando abraçado à namorada

 Em   A7   Em   A7
Eu sou do tipo de certas coisas
   D   D7M   D⁶ D#º
Que já não são comuns em nossos dias:
  Em7   A7   Em   A7
As cartas de amor, o beijo na mão,
    D   D#º
Muitas manchas de baton
         C
    Em   D D7
Daquele amasso no portão

    G   Gm   Gm⁶
Apesar de todo o progresso,
            D
   D   C   Bm
Conceito e padrões atuais,
E7
Sou do tipo que na verdade
 A   Cº   D
Sofre por amor e ainda chora de saudade
    D   D7M   D⁶ D7M
Porque sou aquele amante à moda antiga
  D   D7   G
Do tipo que ainda manda flores
  G   Gm   F#m   B7
Apesar do velho tênis e da calça desbotada,
  Em7   A7   D   Bm7 Em A7
Ainda chamo de querida a namorada.

Esmeralda

Samba-Canção

Filadelfo Nunes e
Fernando Barreto

TOM — FÁ MAIOR
F   C7   F
                    Bb
Introdução: F7M   C   Bb7M   C7   C9—   F

```
         F       D7      Gm
Vestida de noiva com véu e grinalda
         C
         Bb     C9—    F
Lá vai Esmeralda casar na igreja
      F        Dm7     G7      C7M
Deus queira que os anjos não cantem pra ela
    Am7    Dm9     G7       Gm7 C7
E lá na capela seu vigário não e s t e j a
```

```
                                Gm
          F       D7      Bb
Deus queira que a noite na hora da festa
          C7       C9      F13
Não tenha orquestra, não venha ninguém
     F9       Bb       Bbm6   A7
Prá ver Esmeralda com véu e grinalda
     D7       Gm7       C7      F
Nos braços de outro que não é seu bem.
```

```
      Gm
      C    C9     Am    Dm7    Gm7
Quem devia casar com ela      era eu
C7         F7M
Sim, senhor.
      Gm
      C    C9     Am7   Dm7    Gm7
Quem devia casar com ela      era eu
C7         F
Seu amor.
```

```
                       C7     Bb   Gm  F
(Para terminar):      Seu amor
```

O teu cabelo não nega

Marcha

Adaptação de **Lamartine Babo** sobre motivo de Marcha "Mulata", dos Irmãos Valença

© Copyright da marcha "Mulata" by Irmãos Vitale Ind. e Com. Ltda.
© Copyright da adaptação de Lamartine Babo by Editorial Mangione S.A. - sucessora de E. S. Mangione - S. Paulo - Rio - Brasil
All rights reserved.

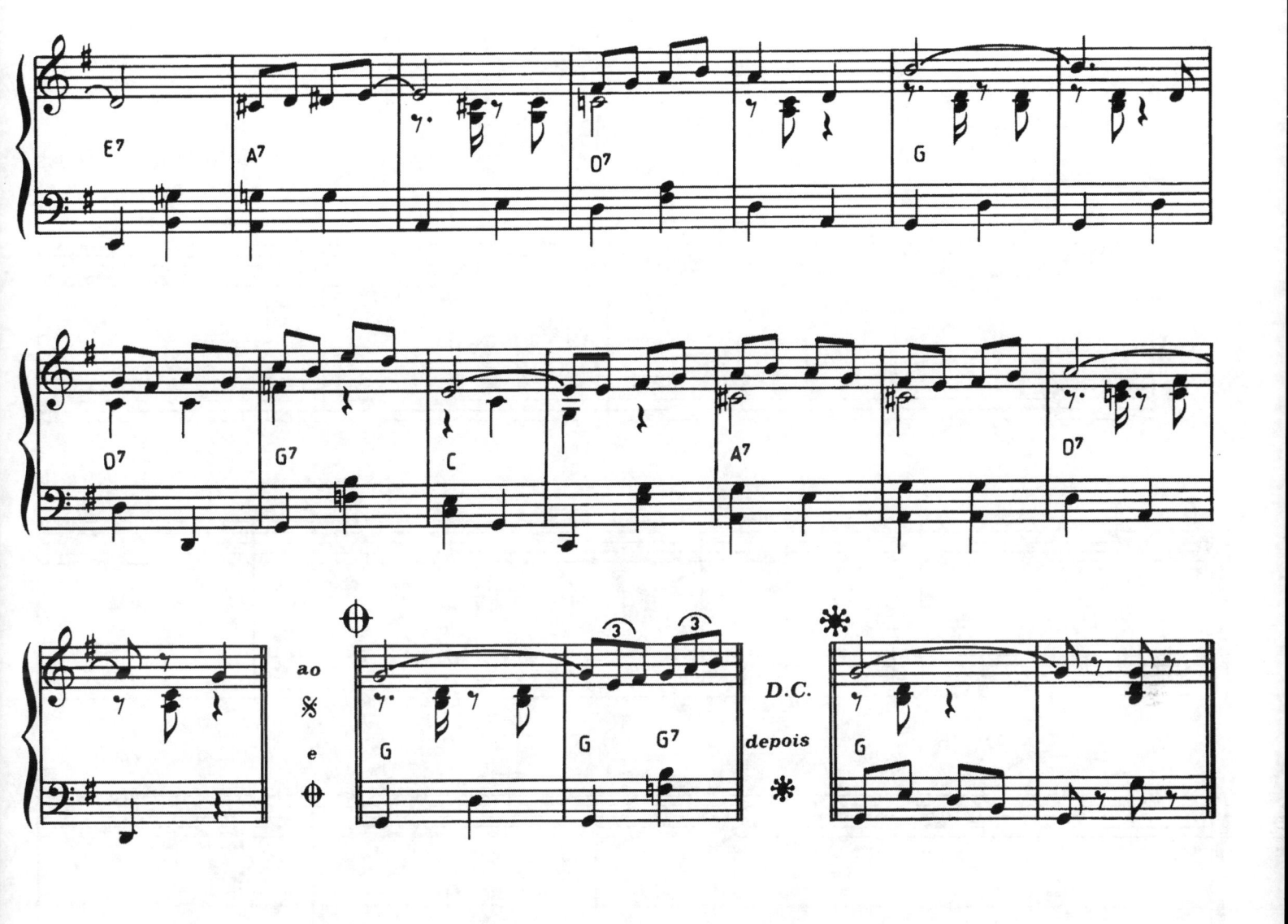

TOM — SOL MAIOR
G D7 G

Introdução: Am D7 G E7 Am D7 G

Bis
{
    D7   G
O teu cabelo não nega
Mulata,
    Am7   D7   G
Porque és mulata na côr...
    D7   G
Mas como a côr não pega
    Bm7
Mulata,
    Am   D7 G
Mulata eu quero o teu amor!
}

    G   E7
Tens um sabor
    A7
Bem do Brasil...
    D7   G
Tens a alma côr de anil
    D7   G7 C
Mulata, mulatinha meu amor
    A7   D7
Fui nomeado o teu tenente interventor!

    G   E7
Quem te inventou
    A7
Meu pancadão
    D7   G
Teve uma consagração...
    D7   G7   C
A lua te invejando fez carêta
    A7   D7
Porque, mulata, tu não és deste planeta!

    G   E7
Quando meu bem,
    A7
Vieste a terra,
    D7   G
Portugal declarou guerra
    D7   G7   C
A concorrência então foi colossal!
    A7   D7
Vasco da Gama contra o Batalhão Naval!

Sons de carrilhões

Choro-Maxixe

João Teixeira Guimarães
(João Pernambuco)

229

Ronda

Samba-Canção

Paulo Vanzolini

TOM — FÁ MAIOR
F C7 F

Introdução: F7M Db7 C9 F9⁶ Bb/C

```
         F          F9⁶         Am
De noite eu rondo a cidade
              Am5-              D/F#
A te procurar     sem encontrar
         Gm                Gm7/4
No meio de olhares espio
              Gm7                C7
Em todos os bares você não está
  F7M          D7
Volto prá casa abatida
     Gm          Bbm  Bbm6
Desencantada da vida
   F7M     D7     Db7
O sonho alegria me dá
   C7     F  Am7  Ab9
Nele você está
  Gm7                           C7
Ah! Seu eu tivesse quem bem me quisesse
                    F7M  F9⁶
Esse alguém me diria
  Em5-         A7
Desiste desta busca inútil
          Dm  Gm7  C13
Eu não desistia.
     F          F7M      Am
Porém com perfeita paciência
        Am5-           D/F#
Volto a te buscar    hei de encontrar
     Gm                 Gm7/4
Bebendo com outras mulheres
          Gm7              C7
Rolando dadinhos jogando bilhar
  F7M       D7
É nesse dia então
     Gm7            Bbm7  Bbm6
Vai dar na primeira edição
                                Db/Eb  9
  F7M    D7    Db9   C7              F7M
Cena de sangue num bar da Avenida São João.
```

De conversa em conversa

Samba

Lucio Alves e
Haroldo Barbosa

© Copyright 1947 by Editora Musical Brasileira Ltda.
All rights reserved — Todos os direitos reservados.

TOM — DÓ MAIOR
C G7 C

Introdução: F G7 C G13

G13
        C
  De conversa em conversa
     F7M   Em7   A7 Dm
  Você vai arranjando um modo de brigar
A7   Dm
  De palavra em palavra
       G5+   Em7 Dm
  Você está querendo e nos separar
       C7M
C7M   G   F#m5
  Parece até que o destino
   B7   Em7   Am7 Dm7
  Uniu-se com você, só pra me maltratar
G7   F7M Dm7   G7   Dm9
  Cada dia que passa, mais uma tormenta
     G7 Bb11
  Que eu deixei passar
G13   C
  Nosso viver não adianta
    F7M Em7 Dm
  É melhor juntarmos nossos trapos
Dm7   A5+   Dm
  Arrume tudo que é seu
      F7   E7
  Que eu vou separando os meus farrapos.

Am7   C7   F7M
  Vivendo desta maneira
          Fm7
  Continuar é besteira
        Em
  Não adianta, não
C7M   A7   Dm
  O que passou é poeira
      G7
  Deixa de asneira
           6
          C7M
  Que eu não sou limão
Dm5-   G5+   C7M
  Não sou limão, não, não
Fm7   G5+   C7M G13
  Não sou limão, não, não.

(2.ª VEZ: PARA TERMINAR)

               6   6
Fm7   G5+   C9 Fm9 C7M
  Não sou limão, não, não

Caçador de mim

Toada-Canção

Sá e Sergio Magrão

TOM — FÁ MAIOR
F C7 F

Introdução: Am7 Gm7 F7M Dm7 Gm7 F Bb

F   C
              E
Por tanto amor, por tanta emoção
 Bb   C7   F
A vida me fez assim
Bb   Am7
Doce ou atroz, manso ou feroz
       Bb
Gm   C   F Bb
Eu, caçador de mim ...

F
Preso a canções
 C   Bb
 E   D   C7 F
Entregue a paixões que nunca tiveram fim
C
E   Dm7
Vou me encontrar longe do meu lugar
     Bb   Bb
Gm   C   F   C
Eu, caçador de mim ...

       F
Nada a temer
   Am   Bb
Senão o correr da luta
Gm
Nada a fazer
       C   Bb
Bb   F Bb   C
Senão esquecer o medo
        Am
F   F
Abrir o peito a forma
      Bb
      D   Bb
Numa p r o c u r a
         C
C7   B
Fugir às armadilhas
                     Gm7
C7   F Bb F
Da mata e s c u — r a
                     C

             C
F   E
Longe se vai sonhando demais
      Bb
      D   C7   F
Mas onde se chega assim
C
E   Dm7
Vou descobrir o que me faz sentir
            Bb
Gm7 C   F Bb
Eu, caçador de mim ...

F
Nada a temer
   Am   Bb
Senão o correr da luta
Gm
Nada a fazer
  Bb   Bb
  C   F Bb   C
Senão esquecer o medo
F   Am
Abrir o peito à força
        Bb
      D Bb
Numa p r o c u r a
        C
C7   Bb
Fugir às armadilhas
C7   F Bb F
Da mata e s c u — r a

Am7   Gm   F7M   Dm7
Vou descobrir o que me faz sentir
           Bb
Gm7 C   F Bb F
Eu, caçador de mim...

Boa noite, amor!

Valsa Romance

José Maria de Abreu
e Francisco Mattoso

TOM — FÁ MAIOR
F   C7   F

Introdução: *Bb7M Eb9 F7M D7 Gm7 C7 F*

Gm7   C7   Am7
Quando a noite descer
                        5+
Dm7 Gm   C7   F7M D9-
Insinuando um triste adeus
Gm7   C7   F7M
Olhando nos olhos teus
*F   C
G   E   Am7 Dm   G7 Gm   C7*
Hei de, beijando teus dedos, dizer:

REFRÃO:

Gm7
Boa noite, amor
C7
Meu grande amor
F7M   Am7   Gm7   D7
Contigo eu s o n h a r e i
                  9-
Gm5+ A5+ Dm7 G7
E a minha dor esquecerei
Dm7   G7
Se eu souber que o sonho teu
Db9   C7
Foi o mesmo sonho meu...

Gm7
Boa noite, amor,
C7
E sonha, enfim,
F7M   F7   Bb
Pensando sempre em mim,
F13   Bb   Eb9
Na carícia de um beijo
F7M   D7
Que ficou no desejo...
                              9
Gm7   C7   F   Bbm7   F7M
Boa noite, meu grande amor!

Águas de março

Antonio Carlos Jobim
(Tom Jobim)

D7M Am D7 E/G# Gm6
D A♭9 G7M C7
D D/C G/B Gm A7
D D7M D7 E/G# Gm Gm6
D D7/C E/B Gm/B♭
D A♭9 G7M C7

D Am7 D7 G7M Gm C7
D D/C G/B Gm/Bb
D/A Am7 D7 E/G# Gm C7
D D/C G/B Gm/Bb A7
D/A Ab9 G7M C7
D D7 G Gm7

TOM — RÉ MAIOR
D　A7　D

Introdução: $\overset{D}{C}$ (4 compassos)

$\overset{\overset{D}{C}}{\text{É pau é pedra é o fim do caminho}}\overset{G}{}\overset{B}{}$

$\overset{Bb}{\text{É um resto de toco é um pouco sozinho}}\overset{Gm}{}\overset{D}{}\overset{A}{}$

     G#   E   G7M
É um caco de vidro é a vida é o sol
     C7   D
É a noite é a morte é um laço é o anzol
         Am7   D7   E
                      G#
É peroba do campo é o nó da madeira
     Gm   A7   D
Caingá candela é o Matita Perera
         Am7   D7   E
                      G#
É madeira de vento tombo de ribanceira
         Gm   C7   D7M
É o mistério profundo é o queira ou não queira
         Am7   D7   E
                      G#
É o vento ventando é o fim da ladeira
     Gm6
É a viga é o vão festa de cumeeira
D   Ab9   G7M
É a chuva chovendo é conversa ribeira
         C7   D
Das águas de março é o fim da canseira
         D   G
         C   B
É o pé é o chão é a marcha estradeira
         Gm   A7
Passarinho na mão pedra de atiradeira
                         E
D   D7M   D7   G#
É uma ave no céu é uma axe no chão
         Gm   Gm6   D
É um regato é um forte é um pedaço de pão
         D7   E
         C   B
É o fundo do poço é o fim do caminho
         Gm
         Bb   D
No rosto o desgosto é um pouco sozinho
         Ab9   G7M
É um estrepe é um prego é uma conta é um conto
         C7   D
É um pingo pingando é uma ponta é um ponto
         Am7   D7   G7M
É um peixe é um gesto é uma prata brilhando
         Gm   C7   D
É a luz da manhã é o tijolo chegando

         D   G
         C   B
É a lenha é o dia é o fim da picada
         Gm   D
         Bb   A
É a garrafa de cana o estilhaço na estrada
                         E
         Am7   D7   G#
É o projeto da casa é o corpo na cama
         Gm   C7   D
É o carro enguiçado é a lama é a lama
         D   G
         C   B
É um passo é uma ponte é um sapo é uma rã
                D
         Gm A7 A
É um resto de mato na luz da manhã
         Ab9   G7M
São as águas de março fechando o verão
         C7   D
É a promessa de vida no teu coração
         D7   G
É uma cobra é um pau é João e José
         Gm7   D
É um espinho na mão é um corte no pé
                        E
         Dm   D
É um passo é uma ponte é um sapo é uma rã
         Eb   D
É um Belo Horizonte é a febre terçã

Canção que morre no ar

Canção

Carlos Lyra e
Ronaldo Boscoli

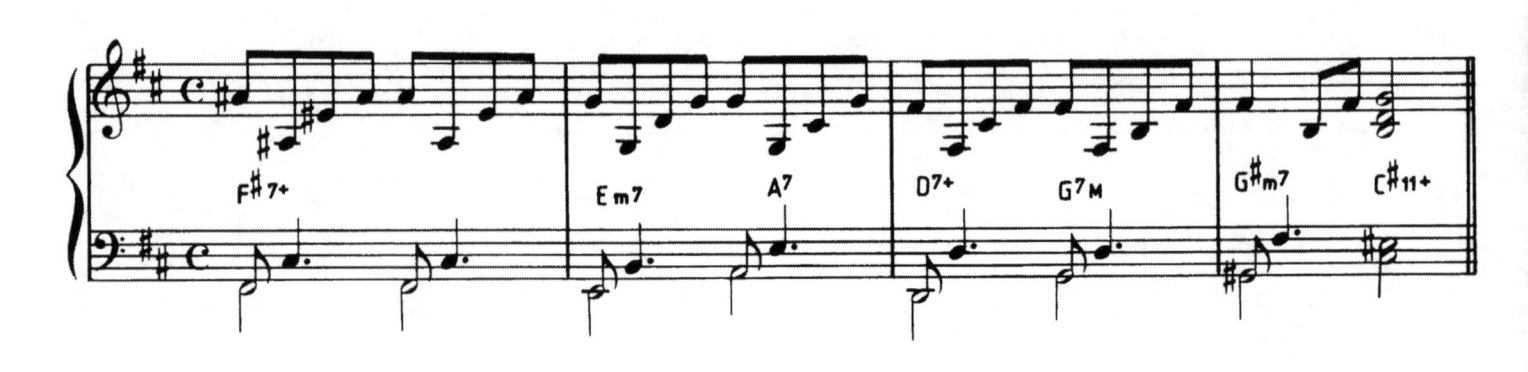

TOM — RÉ MAIOR

D A7 D

Introdução: F#7+ Em7 A7 D7+ G7M G#m7 C#11+

    F#7M
    Brinca no ar
Em7   D7M
    Um resto de canção
G7M   C#7   F#7M
    Um rosto tão sereno
Em7   A7   D7M G#m C#7
    Tão quieto de paixão

    F#7M   A#m7
    Morre no ar
Em7 A7   D7M   G7M
    O sempre mesmo adeus
D7M   C#9+   F#7+
    Meus olhos são teus olhos
        C#7M
    Para nós...

    D7M
    Vem...
C7   F7   Bb7
    O mundo é sempre amor
F
A   Gm7
    O pranto me desliza
Bb
C   C7   F7+
    No seio de uma flor
       Gm
Bb7   Bb   D7+
    Terra, luz... anjo sol
G7M   C#m7 F#7   Bm7
    Mil carícias   você traz
    G7M   F7M Em9 D7M
    Beijo, manso, luz e paz.

Gosto que me enrosco

Samba

J. B. Silva (Sinhô)

TOM — Sib MAIOR
Bb F7 Bb

Introdução: Eb E° Bb G7 Cm F7 Bb

1.ª PARTE

```
            Bb
Bb           D      Cm7 Bb
Não se deve amar sem ser amado
Bb           Gm      Cm   G7  Cm
É melhor morrer crucificado!
Cm       Am5-    D7           Gm
Deus nos livre das mulheres de hoje em dia
         C7              Cm  F7  F13
Desprezam um homem só por causa da  o r g i - a !
```

1.ª PARTE

```
            Bb
Bb           D      Cm7 Bb
Dizem que a mulher é parte fraca...
Bb           Gm      Cm   G7  Cm
Nisto é que eu não posso acreditar
      Am5-    D7        Gm
Entre beijos, e abraços e carinhos...
             C9                Cm7  F7
O homem não tendo é bem capaz de matar
```

2.ª PARTE

```
Cm7              F7         Bb
Gosto que me enrosco de ouvir dizer
Fm7          Bb7         Eb
Que a parte mais fraca é a mulher
      Ebm                    Bb
Mas o homem com toda a fortaleza
        G7   Cm            F7 Bb
Desce da nobreza e faz o que ela quer!
```

Matriz ou filial

Samba-Canção

Lucio Cardim

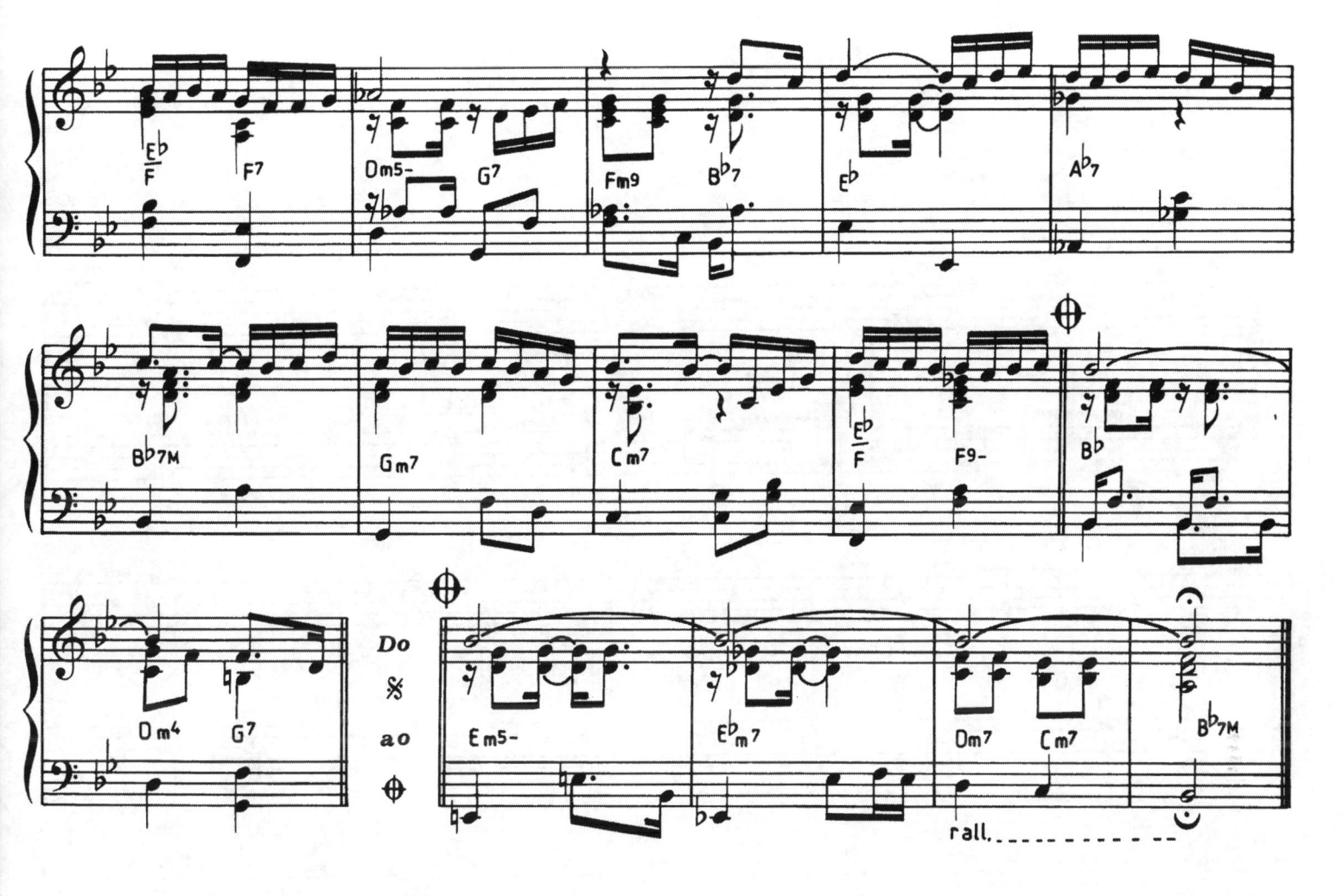

TOM — Sib MAIOR
Bb   F7   Bb
                    Eb
Introdução: Cm7 Cm9 F F7 Bb Cm7

     F7   Cm7
Quem sou eu
    F7
Prá ter direitos exclusivos
   Bb7M
Sobre ela
         Bb
Eb7M   D   Gm7
Se eu não posso sustentar
     Cm7
Os sonhos dela
   Eb
   F   F7
Se nada tenho e cada um vale
   Dm5- G9-
O que tem
     Cm9
Quem sou eu
   F7
Pra sufocar a solidão
   Bb7M
Daquela boca
        Bb
Eb7M D   Gm7
Que hoje diz que sou matriz
     Cm7
E quando louca
   Eb
   F
Se nós brigamos diz
   F7 Fm Bb7M
Que sou filial

   Eb7M   Ab7
Afinal se amar demais
            Bb7M
Passou a ser o meu defeito
Eb7M   Dm7   Gm7
É bem possível que eu não
       Cm7
Tenha mais direito
   Eb
   F
De ser matriz
   F7
Por ter somente amor
  Dm5- G7 Fm9 Bb7
Prá dar.
  Eb   Ab7
Afinal o que ela pensa
        Bb7M
Conseguir me desprezando
   Gm7
Se sua sina sempre foi
          Eb
Cm7   F
Voltar chorando arrependida
 F9-   Bb Dm4 G7
Me pedindo prá ficar

Para terminar:
     Em5- Ebm7 Dm7 Bb7M
Me pedindo prá ficar

Os seus botões

Roberto Carlos
e Erasmo Carlos

TOM — MI MENOR
Em B7 Em

Introdução: Em Em C7M B7 Em
            D

    Am7 D7   G
 Os botões da blusa que você usava
C   F#m5- B7 Em
 E meio confusa desabotoava
    Am7
 Iam pouco a pouco
 D7   G
 Me deixando ver
 C7M   F#m5-
 No meio de tudo
   B7   Em
 Um pouco de você
     Am
 Nos lençóis macios
D7   G
 Amantes se dão
 C   F#m5-
 Travesseiros soltos
 B7 Em
 Roupas pelo chão

         C
         D
 Braços que se abraçam
 D7   G7M
 Bocas que murmuram
     C
     D
 Palavras de amor
   C7   B7
 Enquanto se procuram
Em   Am
 Chovia lá fora
   D7 G
 E a capa pendurada
 C7M F#m5- B7 Em
 Assistia a tudo não dizia nada
   Am D7 G
 E aquela blusa que você usava
 C   F m5-
 Num canto qualquer
   B7 Em
 Tranquila esperava
     Am
 Num canto qualquer
   B7   Em Am Em
 Tranqüila esperava.

Esses moços

Samba

Lupicínio Rodrigues

TOM — Mlb MAIOR
Eb Bb7 Eb

Introdução: Eb Abm7 Abm⁶ C7 Fm7 Bb Am5- Ab
              Db   Ab   Bb

        Ab
  Eb   Bb
Esses moços
    Eb7M Gm7
Pobres moços
                    7M
Fm7   Bb7   Eb5+
Oh! se soubessem o que sei
Eb7M   Gm7   Gm5+ Gm6 Gm7
 6 Não amavam, não passavam
     D7   Gm
  Am5- A   Bb
  Aquilo que já passei
        Bb
Am5-   Ab
  Por meus olhos
      Gm7
  Por meus sonhos
Cm7   Fm7
  Por meu sangue
Bb7   G5+
  Tudo enfim
C9-   Fm7
  É que eu peço
Abm⁶   Eb
  A esses moços
 F13   Bb9- Eb6
  Que acreditem em mim

                               Fm
        Cm   Cm7 Ab
Que eles julgam que há um lindo futuro
    G7   G9-   Cm
Só o amor nesta vida conduz
G4 G7   Cm   Am5-   Gm9
Saibam que deixam o céu por ser escuro
                         F
            Am5-   D7   G
E vão ao inferno à procura de luz
G13   Cm   Fm7
   Eu também tive nos meus belos dias
Fm
Ab   G7   G9-   C9-
Esta mania e muito me custou
        Fm   G7   Cm7
Pois só as mágoas que trago hoje em dia
      9-   Ab13
    D11 +   G7   Cm7   9 Cm9
E estas rugas que o amor me deixou

O morro não tem vez

Antonio Carlos Jobim e
Vinicius de Moraes

©Copyright 1978 by Antonio Carlos Jobim
1978 by Tonga Editora Musical Ltda.

TOM — MI MENOR
Em B7 Em

Introdução: Em9 G13 C7M C7M⁹ Bm7 Em A7

     Em Bm7 Em
O morro não tem vez
       Bm7 Em Am7 D7 Em E9-
E o que ele fez já foi   demais
    Am7 D7   G13
Mas olhem bem vocês
    Dm7 G7   C7M
Quando derem vez ao morro
   Bm7   Em E9-
Toda a cidade vai cantar
Am   Em
Morro pede passagem
Am   Em
Morro quer se mostrar
Am   Am9 Em7
Abram alas pro morro
A°   B7
Tamborim vai falar

     Em Bm7 Em
É um, é dois, é três
     Bm7 Em Am7 D7 Em E9-
É cem é mil a ba — tucar
    Am7 D7   G13
O morro não tem vez
     Dm7 G7   C7M
Mas se derem vez ao morro
     Bm7   Em E9-
Toda a cidade vai cantar
Am   Em
Morro pede passagem
Am   Em
Morro quer se mostrar
Am   Em9 Em7
Abram alas pro morro
A°   B7
Tamborim vai falar

     Em Bm7
(É um, é dois, é três)

Repetir ad-libitum)

Meus tempos de criança

Samba-Canção

Ataulpho Alves

© Copyright 1966 by Cruzeiro Musical Ltda. - Rio de Janeiro - Brasil
Direitos adquiridos por Edições Intersong Ltda.

C7M
E♭m7
A♭7
G7
Dm5-
G7
2.
G7
C7M
Am7
A♭7
G7
Cm
Fm
C7M
Dm5-
G7
Cm
F#m5-
1.
Fm7
B♭7
E♭7
A♭7M
Dm5-
G7
C7M
Cm
A♭7M
Fm
A♭
G7

TOM — DÓ MENOR
Cm   G7   Cm

Introdução: Cm7 G7 Fm G7 Cm Ab7 Db7M Db6 Dm7 G7 Cm Ab13 Gsusp⁴ G7

	Cm Cm9 Dm7 G7 Cm
	Eu d a r i a tudo que eu tivesse
Bb7	Eb C9 Fm7 Bb7 Eb7M Ab7M
	Pra voltar aos dias de criança
	Dm5- G7 C7M
	Eu não sei pra quê que a gente cresce
	Ebm7 Ab7 G7 Dm5-
	Se não sai da gente essa lembrança

G7	Cm Cm9 Dm G7 Cm
	Aos domingos missa na matriz
Bb7	Eb C9 Fm7 Bb7 Eb7M Ab7M
	Da cidadezinha onde eu nasci
	Dm5- G7 C7M Am7
	Ai, meu Deus eu era tão feliz
	Ab7 G7 Cm Fm C7M
	No meu pequenino Miraí.

	Dm5- G7 Cm
	Que saudade da professorinha
F#m5-	Fm Bb7 Eb7M
	Que me ensinou o BE A BA
Ab7M	Dm5- G7 C7M
	Onde andará Mariazinha Fm
	Cm Ab7 Ab
	Meu primeiro amor onde andará?

G7	Dm5- G7 Cm
	Eu igual a toda meninada
F#m5-	Fm9 Bb13 Eb7M
	Quanta travessura que eu fazia
Ab7M	Dm5- G7 C7M
	Jogo de botões sobre a calçada
	Ab7 G7 Cm
	Eu era feliz e não sabia.

2.ª vez para terminar:
Ab7   G7   C7M   C⁶₉
Eu era feliz e não sabia

O SEGREDO MARAVILHOSO DAS CIFRAS

Atendendo à diversos telefonemas de Professores e Pianistas que não tocam pelo Sistema Cifrado, transcrevo aqui algumas rápidas orientações de «Como tocar a Música Popular por Cifras».

Não irei apresentar precisamente uma aula, porque o espaço é pequeno, mas apenas algumas «Dicas» para aqueles que me telefonam do interior, baseado no sucesso desta Enciclopédia «O Melhor da Música Popular Brasileira», atualmente em 7 volumes, cujo 1.º volume já atingiu a 3.ª edição em menos de um ano.

GOSTAR DE CIFRAS

Antes de dar a primeira «Dica», gostaria de dizer que o melhor remédio para aprender Cifras é «Gostar delas» e não querer aprender já vindo «Sem vontade de gostar», pois seu estudo requer muito gosto, ação criadora e ritmo próprio. É mais uma matéria importante que vai somar aos seus conhecimentos musicais, porque será, sem dúvida alguma, uma prova de Ritmo, onde você poderá criar maravilhas com estas simples Cifras, que nada mais são que uma oportunidade para colocar em prática todos os seus conhecimentos de Harmonia ou os seus dons naturais deste seu ouvido absoluto que Deus lhe deu.

CIFRAS

São letras e sinais convencionais que se colocam acima ou abaixo de uma Melodia, para representar os acordes do Acompanhamento. As Cifras, mundialmente conhecidas, são escritas em Lingua Anglo Saxônia e Lingua Latina.

DÓ   RÉ   MI   FÁ   SOL   LÁ   SI   (Lingua Latina)
C   D   E   F   G   A   B   (Anglo Saxônia)

ORDEM ALFABÉTICA

As notas em Lingua Anglo Saxônia, seguem a ordem do alfabeto:

A   B   C   D   E   F   G

Começa na letra **A**, que é a nota Lá, por ser a nota principal do Diapasão Normal. As Cifras são usadas desde a Idade Média.

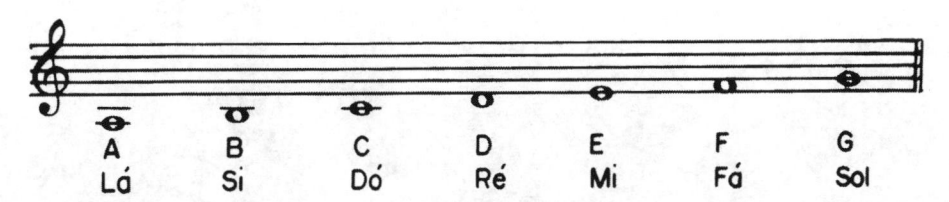

A	B	C	D	E	F	G
Lá	Si	Dó	Ré	Mi	Fá	Sol

Na Cifragem Anglo Saxônia, os acordes maiores são representados apenas pela letra maiúscula correspondente, e nos acordes menores acrescentando um **m** (minúsculo). Ex. C - DÓ Maior e Cm - DÓ menor.

SINAIS CONVENCIONAIS PARA REPRESENTAR OS ACORDES
(EXEMPLO EM C - DÓ)

Cifra		Leitura	Cifra		Leitura
C	Lê-se	Dó Maior	Cm	Lê-se	Dó Menor
C5+	"	Dó com 5.ª aumentada	Cm6	"	Dó menor com sexta
C6	"	Dó com sexta	C dim (C.º)	"	Dó Sétima Diminuta
C7	"	Dó Sétima (menor) Dominante	Cm7	"	Dó menor Sétima
C7M	"	Dó Sétima Maior	C9−(C79−)	"	Dó com nona menor
C9(C79)	"	Dó nona Maior			

(Assim em todos os tons)

ALGUNS ACORDES FORMADOS SOBRE A TÔNICA C - DÓ
(SOMENTE NO ESTADO FUNDAMENTAL)

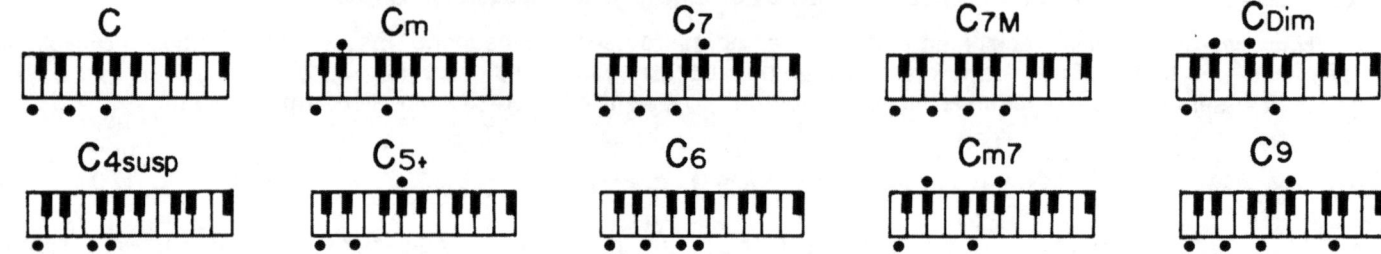

C   **Cm**   **C7**   **C7M**   **CDim**

C4susp   **C5+**   **C6**   **Cm7**   **C9**

Os acordes de C7, C7M e C9, podem ser simplificados, substituindo-os por C e os de Cm7 podem ser substituídos por Cm.

Para se formar o acorde de 4.ª Suspensa, retira-se a 3.ª do acorde (MI) e coloca-se a 4.ª que é o Fá (no tom de DÓ). Esta 4.ª chama-se Suspensa porque causa uma impressão de Suspense no acorde.

Os violonistas quase sempre substituem o acorde de Quinta Diminuta por 7.ª Diminuta. Ex: Cm5- por Cdim ou C.º.

ACORDES PARADOS E ARPEJADOS PARA PRINCIPIANTES

Para que os principiantes possam tocar todas as músicas desta Enciclopédia, deixo aqui uma pequena «Dica», que por certo vai dar-lhes a oportunidade de executar suas músicas, extravasando assim sua ansiedade de tocar, mesmo que seja de uma maneira fácil e simples. Como eles não podem ainda movimentar e produzir ritmos com os acordes da Mão Esquerda, aconselho tocar os Acordes Parados ou Arpejados. Deverão tocar somente as notas de cima da Melodia que está na Clave de Sol, observando as Cifras dos acordes e mudando-os todas as vezes que aparecer uma Cifra diferente.

MÃO ESQUERDA

RONDA

O SEGREDO MARAVILHOSO DAS CIFRAS
E
COMO TOCAR A MÚSICA POPULAR POR CIFRAS

Para os interessados em executar a Música Popular por Cifras, recomendo adquirir duas obras importantes, onde serão encontrados todos os ensinamentos do SISTEMA CIFRADO: «O SEGREDO MARAVILHOSO DAS CIFRAS» e «COMO TOCAR A MÚSICA POPULAR POR CIFRAS», que se encontram no 3.º volume da obra: «120 Músicas Favoritas para Piano», de Mário Mascarenhas.

Também, será de muito proveito, para completar este estudo, adquirir o «MÉTODO DE ÓRGÃO ELETRÔNICO», do mesmo autor, onde contém as Cifras mais completas e com os acordes mais dissonantes.

VOLUME 1

ABISMO DE ROSAS
ÁGUAS DE MARÇO
ALEGRIA, ALEGRIA
AMANTE À MODA ANTIGA
AMIGO
A NOITE DO MEU BEM
APANHEI-TE, CAVAQUINHO
APELO
AQUARELA DO BRASIL
ARROMBOU A FESTA
AS ROSAS NÃO FALAM
ATRÁS DA PORTA
BACHIANAS BRASILEIRAS Nº 5
BOA NOITE, AMOR
BOATO
CAÇADOR DE MIM
CAFÉ DA MANHÃ
CANÇÃO QUE MORRE NO AR
CARCARÁ
CARINHOSO
CAROLINA
CHÃO DE ESTRELAS
CIDADE MARAVILHOSA
CONCEIÇÃO
DÁ NELA
DE CONVERSA EM CONVERSA
DEUSA DA MINHA RUA
DISSE ME DISSE
DORINHA, MEU AMOR
DUAS CONTAS
EMOÇÕES
ESMERALDA
ESSES MOÇOS
ESTÃO VOLTANDO AS FLORES
ESTRADA DA SOLIDÃO
FESTA DO INTERIOR
FIM DE SEMANA EM PAQUETÁ
FIO MARAVILHA
FLOR AMOROSA
FOLHAS SÊCAS
GAROTA DE IPANEMA
GENTE HUMILDE
GOSTO QUE ME ENROSCO
INFLUÊNCIA DO JAZZ
JANGADEIRO
JANUÁRIA
JURA
LADY LAURA
LÁGRIMAS DE VIRGEM
LATA D'ÁGUA

LIGIA
LUAR DO SERTÃO
LUIZA
MARVADA PINGA
MATRIZ OU FINAL
MEU BEM QUERER
MEUS TEMPOS DE CRIANÇA
MODINHA
NA PAVUNA
NÃO DÁ MAIS PRA SEGURAR (EXPLODE CORAÇÃO)
NÃO EXISTE PECADO AO SUL DO EQUADOR
NÃO IDENTIFICADO
NOSSOS MOMENTOS
Ó ABRE ALAS
O BÊBADO E A EQUILIBRISTA
O MORRO NÃO TEM VEZ
ONDE ANDA VOCÊ
OS SEUS BOTÕES
O TEU CABELO NÃO NEGA
PARALELAS
PELA LUZ DOS OLHOS TEUS
PELO TELEFONE
PÉTALA
PRELÚDIO PARA NINAR GENTE GRANDE
QUANDO VIM DE MINAS
REFÉM DA SOLIDÃO
REGRA TRÊS
ROMARIA
RONDA
SAMBA EM PRELÚDIO
SE ELA PERGUNTAR
SEI LÁ MANGUEIRA
SERRA DA BOA ESPERANÇA
SERTANEJA
SE TODOS FOSSEM IGUAIS A VOCÊ
SÓ DANÇO SAMBA
SONS DE CARRILHÕES
SUBINDO AO CÉU
TERNURA ANTIGA
TICO-TICO NO FUBÁ
TRAVESSIA
TREM DAS ONZE
TROCANDO EM MIÚDOS
TUDO ACABADO
ÚLTIMO DESEJO
ÚLTIMO PAU DE ARARA
VALSINHA
VASSOURINHAS
VERA CRUZ
VIAGEM

VOLUME 2

AÇAÍ
A DISTÂNCIA
A FLOR E O ESPINHO
A MONTANHA
ANDRÉ DE SAPATO NOVO
ATÉ AMANHÃ
ATÉ PENSEI
ATRÁS DO TRIO ELÉTRICO
A VIDA DO VIAJANTE
BATIDA DIFERENTE
BLOCO DA SOLIDÃO
BONECA
BREJEIRO
CHEIRO DE SAUDADE
CHICA DA SILVA
CHOVE CHUVA
CHUVA, SUOR E CERVEJA
CHUVAS DE VERÃO
CADEIRA VAZIA
CANÇÃO DO AMANHECER
CANTO DE OSSANHA
DA COR DO PECADO
DINDI
DOMINGO NO PARQUE
ELA É CARIOCA
EU SONHEI QUE TU ESTAVAS TÃO LINDA
EXALTAÇÃO À BAHIA
EXALTAÇÃO A TIRADENTES
FÉ
FEITIÇO DA VILA
FOI A NOITE
FOLHAS MORTAS
FORÇA ESTRANHA
GALOS, NOITES E QUINTAIS
HOJE
IMPLORAR
INÚTIL PAISAGEM
JESUS CRISTO
LAMENTOS
LEMBRANÇAS
MARIA NINGUÉM
MARINA
MAS QUE NADA
MEU PEQUENO CACHOEIRO
MEU REFRÃO
MOLAMBO
MULHER RENDEIRA
MORMAÇO
MULHER
NOITE DOS NAMORADOS

NO RANCHO FUNDO
NOVA ILUSÃO
Ó PÉ DE ANJO
OBSESSÃO
ODEON
O DESPERTAR DA MONTANHA
OLHOS VERDES
O MENINO DE BRAÇANÃ
O MUNDO É UM MOINHO
ONDE ESTÃO OS TAMBORINS
O ORVALHO VEM CAINDO
O QUE É AMAR
PAÍS TROPICAL
PASTORINHAS
PIERROT APAIXONADO
PISA NA FULÔ
PRA DIZER ADEUS
PRA FRENTE BRASIL
PRA QUE MENTIR?
PRA SEU GOVERNO
PRIMAVERA (VAI CHUVA)
PROPOSTA
QUASE
QUANDO EU ME CHAMAR SAUDADE
QUEREM ACABAR COMIGO
RANCHO DA PRAÇA ONZE
RETALHOS DE CETIM
RETRATO EM BRANCO E PRETO
RODA VIVA
SÁBADO EM COPACABANA
SAMBA DE ORFEU
SÁ MARINA
SAUDADES DE OURO PRETO
SAUDOSA MALOCA
SE ACASO VOCÊ CHEGASSE
SEGREDO
SEM FANTASIA
TARDE EM ITAPOAN
TATUAGEM
TERRA SECA
TESTAMENTO
TORÓ DE LÁGRIMAS
TRISTEZA
TRISTEZAS NÃO PAGAM DÍVIDAS
ÚLTIMA FORMA
VAGABUNDO
VAI LEVANDO
VAMOS DAR AS MÃOS E CANTAR
VÊ SE GOSTAS
VIVO SONHANDO

VOLUME 3

- A BAHIA TE ESPERA
- ABRE A JANELA
- ADEUS BATUCADA
- AGORA É CINZA
- ÁGUA DE BEBER
- AMADA AMANTE
- AMIGA
- AQUELE ABRAÇO
- A RITA
- ASA BRANCA
- ASSUM PRETO
- A VOLTA DO BOÊMIO
- ATIRASTE UMA PEDRA
- BARRACÃO
- BERIMBAU
- BODAS DE PRATA
- BOIADEIRO
- BOTA MOLHO NESTE SAMBA
- BOTÕES DE LARANJEIRA
- CAMINHEMOS
- CANSEI DE ILUSÕES
- CAPRICHOS DE AMOR
- CASA DE CABOCLO
- CASTIGO
- CHORA TUA TRISTEZA
- COM AÇÚCAR, COM AFETO
- COM QUE ROUPA
- CONSELHO
- DEBAIXO DOS CARACÓIS DE SEUS CABELOS
- DISSERAM QUE EU VOLTEI AMERICANIZADA
- DOIS PRA LÁ, DOIS PRA CÁ
- ÉBRIO
- É COM ESSE QUE EU VOU
- ELA DISSE-ME ASSIM (VAI EMBORA)
- ESTRELA DO MAR (UM PEQUENINO GRÃO DE AREIA)
- EU E A BRISA
- EU DISSE ADEUS
- EXALTAÇÃO À MANGUEIRA
- FALA MANGUEIRA
- FAVELA
- FOLHETIM
- GENERAL DA BANDA
- GRITO DE ALERTA
- INGÊNUO
- LÁBIOS QUE BEIJEI
- LOUVAÇÃO
- MANIAS
- ME DEIXE EM PAZ
- MEU BEM, MEU MAL
- MEU MUNDO CAIU
- MOCINHO BONITO
- MORENA FLOR
- MORRO VELHO
- NA BAIXA DO SAPATEIRO (BAHIA)
- NA RUA, NA CHUVA, NA FAZENDA
- NÃO TENHO LÁGRIMAS
- NEM EU
- NESTE MESMO LUGAR
- NOITE CHEIA DE ESTRELAS
- NOSSA CANÇÃO
- O AMOR EM PAZ
- O MOÇO VELHO
- O PEQUENO BURGUÊS
- OPINIÃO
- O PORTÃO
- O TIC TAC DO MEU CORAÇÃO
- PAZ DO MEU AMOR
- PEDACINHOS DO CÉU
- PIVETE
- PONTEIO
- POR CAUSA DE VOCÊ MENINA
- PRA MACHUCAR MEU CORAÇÃO
- PRIMAVERA
- PRIMAVERA NO RIO
- PROCISSÃO
- QUEM TE VIU, QUEM TE VÊ
- QUE PENA
- QUE SERÁ
- REALEJO
- RECADO
- REZA
- ROSA
- ROSA DE MAIO
- ROSA DOS VENTOS
- SAMBA DO ARNESTO
- SAMBA DO AVIÃO
- SAMBA DO TELECO-TECO
- SAMURAI
- SAUDADE DA BAHIA
- SAUDADE DE ITAPOAN
- SE VOCÊ JURAR
- SE NÃO FOR AMOR
- SÓ LOUCO
- TAJ MAHAL
- TEM MAIS SAMBA
- TRISTEZAS DO JECA
- TUDO É MAGNÍFICO
- VINGANÇA
- VOCÊ
- ZELÃO

VOLUME 4

ALÉM DO HORIZONTE
AMOR CIGANO
APENAS UM RAPAZ LATINO AMERICANO
ARGUMENTO
ARRASTA A SANDÁLIA
ATIRE A PRIMEIRA PEDRA
A VOZ DO VIOLÃO
BAIÃO
BAIÃO DE DOIS
BANDEIRA BRANCA
BEIJINHO DOCE
CABELOS BRANCOS
CAMA E MESA
CAMISOLA DO DIA
CANÇÃO DE AMOR
CANTA BRASIL
CASA DE BAMBA
CASCATA DE LÁGRIMAS
COMO É GRANDE O MEU AMOR POR VOCÊ
COMEÇARIA TUDO OUTRA VEZ
COMO DIZIA O POETA
CONVERSA DE BOTEQUIM
COPACABANA
COTIDIANO
CURARE
DELICADO
DESACATO
DE PAPO PRO Á
DE TANTO AMOR
DISRITMIA
DOCE DE CÔCO
DÓ-RÉ-MI
É LUXO SÓ
EVOCAÇÃO
FALTANDO UM PEDAÇO
FEITIO DE ORAÇÃO
GOSTAVA TANTO DE VOCÊ
GOTA D'ÁGUA
JARDINEIRA
LAURA
LEVANTE OS OLHOS
LINDA FLOR
LOBO BÔBO
MANHÃ DE CARNAVAL
MANINHA
MENINO DO RIO
MENSAGEM
MEU CONSOLO É VOCÊ
MIMI
MINHA
MINHA NAMORADA
MINHA TERRA
MULHERES DE ATENAS
NA CADÊNCIA DO SAMBA
NA GLÓRIA
NADA ALÉM
NÃO SE ESQUEÇA DE MIM
NAQUELA MESA
NÃO TEM SOLUÇÃO
NATAL DAS CRIANÇAS
NERVOS DE AÇO
NINGUÉM ME AMA
NONO MANDAMENTO
NUNCA MAIS
O BARQUINHO
O CIRCO
O INVERNO DO MEU TEMPO
OLHA
OLHOS NOS OLHOS
O MAR
O PATO
O PROGRESSO
O QUE EU GOSTO DE VOCÊ
O SAMBA DA MINHA TERRA
O SOL NASCERÁ
O SURDO
OS ALQUIMISTAS ESTÃO CHEGANDO
OS QUINDINS DE YAYÁ
PARA VIVER UM GRANDE AMOR
PASSAREDO
PÉROLA NEGRA
PIERROT
QUANDO
QUEM HÁ DE DIZER
RIO
SAIA DO CAMINHO
SE É TARDE ME PERDOA
SONOROSO
SUGESTIVO
SÚPLICA CEARENSE
TÁ-HI!
TEREZINHA
TEREZA DA PRAIA
TRANSVERSAL DO SAMBA
TRÊS APITOS
ÚLTIMA INSPIRAÇÃO
UPA NEGUINHO
URUBÚ MALANDRO

VOLUME 5

ACALANTO
ACORDA MARIA BONITA
A FONTE SECOU
AGORA NINGUÉM CHORA MAIS
A JANGADA VOLTOU SÓ
ALÔ, ALÔ, MARCIANO
AOS PÉS DA CRUZ
APESAR DE VOCÊ
A PRIMEIRA VEZ
ARRASTÃO
AS CURVAS DA ESTRADA DE SANTOS
A TUA VIDA É UM SEGREDO
AVE MARIA (SAMBA)
AVE MARIA (VALSA)
AVE MARIA NO MORRO
BALANÇO DA ZONA SUL
BASTIDORES
BEM-TE-VI ATREVIDO
BLOCO DO PRAZER
BORANDÁ
BRASILEIRINHO
BRASIL PANDEIRO
CABOCLO DO RIO
CASTIGO
CAMISA LISTADA
CAPRICHOS DO DESTINO
CHOVE LÁ FORA
CHUÁ-CHUÁ
COMO NOSSOS PAIS
CONSTRUÇÃO
COTIDIANO Nº 2
DANÇA DOS SETE VÉUS (SALOMÉ)
DETALHES
DIA DE GRAÇA
DOCE VENENO
DORA
EMÍLIA
ESSE CARA
EU AGORA SOU FELIZ
EU BEBO SIM
EU TE AMO MEU BRASIL
EXPRESSO 2222
FALSA BAIANA
FERA FERIDA
FIM DE CASO
FITA AMARELA
FOI UM RIO QUE PASSOU EM MINHA VIDA
FOLIA NO MATAGAL
GAVIÃO CALÇUDO
GAÚCHO (CORTA JACA)

HOMEM COM H
HOMENAGEM AO MALANDRO
INQUIETAÇÃO
INSENSATEZ
JARRO DA SAUDADE
JOÃO E MARIA
KALÚ
LUA BRANCA
MÁGOAS DE CABOCLO (CABOCLA)
MARIA
MARINGÁ
MEIGA PRESENÇA
MENINA MOÇA
MEU CARIRI
MEU CARO AMIGO
MORENA DOS OLHOS D'ÁGUA
MULATA ASSANHADA
NÃO DEIXE O SAMBA MORRER
NÃO ME DIGA ADEUS
NEGUE
NICK BAR
NINGUÉM É DE NINGUÉM
NUNCA
OCULTEI
O QUE SERÁ (A FLOR DA TERRA)
O SHOW JÁ TERMINOU
O TROVADOR
OUÇA
PALPITE INFELIZ
PENSANDO EM TI
PONTO DE INTERROGAÇÃO
POR CAUSA DE VOCÊ
PRA VOCÊ
QUANDO AS CRIANÇAS SAÍREM DE FÉRIAS
QUE MARAVILHA
RISQUE
RAPAZIADA DO BRAZ
SAMBA DA BENÇÃO
SAUDADE DE PÁDUA
SAUDADE FEZ UM SAMBA
SE QUERES SABER
SÓ COM VOCÊ TENHO PAZ
SORRIS DA MINHA DOR
SUAS MÃOS
TIGRESA
VELHO REALEJO
VOCÊ ABUSOU
VOCÊ EM MINHA VIDA
VOLTA POR CIMA
XICA DA SILVA

VOLUME 6

A BANDA
AS CANÇÕES QUE VOCÊ FEZ PRA MIM
AH! COMO EU AMEI
AI! QUEM ME DERA
ALGUÉM COMO TU
ALGUÉM ME DISSE
ALÔ ALÔ
ANDANÇA
ANOS DOURADOS
AVENTURA
BILHETE
CHARLIE BROWN
CABELOS NEGROS
CACHOEIRA
CAMUNDONGO
CANÇÃO DA MANHÃ FELIZ
CANÇÃO DA VOLTA
CHEGA DE SAUDADE
CHORA CAVAQUINHO
CHOVENDO NA ROSEIRA
CHUVA DE PRATA
COISAS DO BRASIL
COMEÇAR DE NOVO
CORAÇÃO APAIXONADO
CORAÇÃO APRENDIZ
CORAÇÃO ATEU
CORAÇÃO DE ESTUDANTE
CORCOVADO
DÁ-ME
DE VOLTA PRO ACONCHEGO
DEIXA
DEIXA EU TE AMAR
DESAFINADO
É DOCE MORRER NO MAR
ENCONTROS E DESPEDIDAS
ESTA NOITE EU QUERIA QUE O MUNDO ACABASSE
EU SEI QUE VOU TE AMAR
EU SÓ QUERO UM XODÓ
EU TE AMO
ESCRITO NAS ESTRELAS
FLOR DE LIS
ISTO AQUI O QUE É
JURAR COM LÁGRIMAS
KID CAVAQUINHO
LUA E ESTRELA
LUAR DE PAQUETÁ
LUZ DO SOL
MARIA MARIA
MÁSCARA NEGRA
MINHA PALHOÇA (SE VOCÊ QUIZESSE)
MISTURA
MORENA BOCA DE OURO
NANCY
NO TABULEIRO DA BAIANA
NOS BAILES DA VIDA
NOITES CARIOCAS
NOSSA SENHORA DAS GRAÇAS
O "DENGO" QUE A NEGA TEM
O MENINO DA PORTEIRA
O SANFONEIRO SÓ TOCAVA ISSO
O TRENZINHO DO CAIPIRA
OS PINTINHOS NO TERREIRO
ODARA
ORGULHO
OUTRA VEZ
OVELHA NEGRA
PAPEL MARCHÉ
PEDIDO DE CASAMENTO
PEGA RAPAZ
PISANDO CORAÇÕES
PRECISO APRENDER A SER SÓ
PRIMEIRO AMOR
QUE BATE FUNDO É ESSE?
QUERO QUE VÁ TUDO PRO INFERNO
QUIXERAMOBIM
RASGUEI O TEU RETRATO
SABIÁ
SAMBA DE UMA NOTA SÓ
SAMBA DE VERÃO
SAMBA DO CARIOCA
SAMBA DO PERDÃO
SAXOFONE, PORQUE CHORAS?
SE DEUS ME OUVISSE
SE EU QUISER FALAR COM DEUS
SEI QUE É COVARDIA... MAS
SENTADO À BEIRA DO CAMINHO
SERENATA SUBURBANA
SETE MARIAS
SINA
SOLIDÃO
TRISTEZA DANADA
UM A ZERO (1 x 0)
VAI PASSAR
VIDE VIDA MARVADA
VIOLA ENLUARADA
VIOLÃO NÃO SE EMPRESTA A NINGUÉM
VOCÊ E EU
WAVE
ZÍNGARA
ZINHA

VOLUME 7

A FELICIDADE
A MAJESTADE O SABIÁ
A SAUDADE MATA A GENTE
A VOZ DO MORRO
ÁLIBI
ALMA
ANDORINHA PRETA
ANTONICO
AS PRAIAS DESERTAS
AS VOZES DOS ANIMAIS
AVE MARIA
AZUL
AZUL DA COR DO MAR
BABY
BANDEIRA DO DIVINO
BALADA DO LOUCO
BALADA TRISTE
BATUQUE NO MORRO
BEIJO PARTIDO
BOLINHA DE PAPEL
BONECA DE PIXE
BRANCA
CAMISA AMARELA
CANÇÃO DA AMÉRICA
CASA NO CAMPO
CASINHA DA MARAMBAIA
CÉU E MAR
COMO UMA ONDA
COMO VAI VOCÊ
CORAÇÃO APRENDIZ
DAS ROSAS
DE CORAÇÃO PRA CORAÇÃO
DENTRO DE MIM MORA UM ANJO
DESLIZES
DEZESSETE E SETECENTOS
ERREI, ERRAMOS
ESQUINAS
EU DARIA MINHA VIDA
EU TE AMO VOCÊ
ÊXTASE
FICA COMIGO ESTA NOITE
FOI ELA
FOGÃO
GAROTO MAROTO
IZAURA
JUVENTUDE TRANSVIADA
LAMPIÃO DE GÁS
LAPINHA
LEVA MEU SAMBA (MEU PENSAMENTO)
LILÁS

LONDON LONDON
MADALENA
MAMÃE
MARCHA DA QUARTA-FEIRA DE CINZAS
MOÇA
MORO ONDE NÃO MORA NINGUÉM
MUITO ESTRANHO
NADA POR MIM
NADA SERÁ COMO ANTES
NAMORADINHA DE UM AMIGO MEU
NÃO QUERO VER VOCÊ TRISTE
NEM MORTA
NÓS E O MAR
O LADO QUENTE DO SER
O QUE É QUE A BAIANA TEM
O TREM AZUL
OS MENINOS DA MANGUEIRA
PALCO
PÃO E POESIA
PARA LENNON E McCARTNEY
PEDE PASSAGEM
PEGANDO FOGO
PEGUEI UM "ITA" NO NORTE
POEMA DAS MÃOS
PRA COMEÇAR
PRA NÃO DIZER QUE NÃO FALEI DAS FLORES
QUEM É
QUEM SABE
RAPAZ DE BEM
RECADO
ROQUE SANTEIRO
ROSA MORENA
ROTINA
SAMPA
SANGRANDO
SAUDADES DE MATÃO
SEDUZIR
SÓ EM TEUS BRAÇOS
SÓ TINHA DE SER COM VOCÊ
SORTE
TELEFONE
TEMA DE AMOR DE GABRIELA
TRISTE MADRUGADA
UM DIA DE DOMINGO
UM JEITO ESTÚPIDO DE TE AMAR
UMA NOITE E MEIA
VAGAMENTE
VOCÊ É LINDA
VOLTA
XAMEGO

VOLUME 8

A LENDA DO ABAETÉ
A LUA E EU
A VOLTA
ADOCICA
AGUENTA CORAÇÃO
AI! QUE SAUDADES DA AMÉLIA
AMANHÃ
AMÉRICA DO SUL
ANTES QUE SEJA TARDE
AZULÃO
BACHIANAS BRASILEIRAS nº4
BAHIA COM H
BANDOLINS
BANHO DE CHEIRO
BEATRIZ
BOI BUMBÁ
CAIS
CANÇÃO DA CRIANÇA
CANÇÃO DO AMOR DEMAIS
CODINOME BEIJA-FLOR
COM MAIS DE 30
COMUNHÃO
CORAÇÃO DE PAPEL
DANÇANDO LAMBADA
DESABAFO
DESESPERAR JAMAIS
DISPARADA
DONA
EGO
ESMOLA
ESPANHOLA
ESPINHA DE BACALHAU
ETERNAS ONDAS
EU DEI
EU NÃO EXISTO SEM VOCÊ
FACEIRA
FÃ Nº 1
FANATISMO
FARINHADA
FLOR DO MAL
FOI ASSIM
FORRÓ NO CARUARÚ
FRACASSO
FUSCÃO PRETO
GOSTOSO DEMAIS
GITA
HINO DO CARNAVAL BRASILEIRO
ILUSÃO À TOA
ISTO É LÁ COM SANTO ANTÔNIO
JURA SECRETA

LÁBIOS DE MEL
LEVA
LINHA DO HORIZONTE
LUA E FLOR
LUZ NEGRA
ME CHAMA
MEIA LUA INTEIRA
MERGULHO
MEU QUERIDO, MEU VELHO, MEU AMIGO
MEU MUNDO E NADA MAIS
MEXERICO DA CANDINHA
MUCURIPE
NA BATUCADA DA VIDA
NA HORA DA SEDE
NA SOMBRA DE UMA ÁRVORE
NÓS QUEREMOS UMA VALSA
NUVEM DE LÁGRIMAS
O AMANHÃ
O HOMEM DE NAZARETH
OLÊ - OLÁ
O MESTRE SALA DOS MARES
O SAL DA TERRA
OCEANO
ONDE ESTÁ O DINHEIRO?
O XÓTE DAS MENINAS
PEDRO PEDREIRO
PEQUENINO CÃO
PIOR É QUE EU GOSTO
PODRES PODERES
QUEM AMA, NÃO ENJOA
REALCE
REVELAÇÃO
SÁBADO
SAIGON
SAUDADE
SEM COMPROMISSO
SCHOTTIS DA FELICIDADE
SIGA
SURURÚ NA CIDADE
TALISMÃ
TEM CAPOEIRA
TETÊ
TIETA
UMA LOIRA
UMA NOVA MULHER
UNIVERSO NO TEU CORPO
VERDADE CHINESA
VIDA DE BAILARINA
VOCÊ JÁ FOI À BAHIA?
VITORIOSA

VOLUME 9

A COR DA ESPERANÇA
A PAZ
ACONTECE
ACONTECIMENTOS
ADMIRÁVEL GADO NOVO
AMOR DE ÍNDIO
AMOROSO
AOS NOSSOS FILHOS
APARÊNCIAS
ARREPENDIMENTO
AVES DANINHAS
BAIÃO CAÇULA
BAILA COMIGO
BANHO DE ESPUMA
BEIJA-ME
BIJUTERIAS
BOAS FESTAS
BOM DIA TRISTEZA
BRIGAS NUNCA MAIS
BRINCAR DE VIVER
CÁLICE
CASINHA BRANCA
CASO COMUM DE TRÂNSITO
CHOROS Nº 1
COISA MAIS LINDA
COMEÇO, MEIO E FIM
CORAÇÃO LEVIANO
CORRENTE DE AÇO
DÁ-ME TUAS MÃOS
DE ONDE VENS
DEVOLVI
DOLENTE
E NADA MAIS
E SE
ESPELHOS D´ÁGUA
ESPERE POR MIM, MORENA
ESTÁCIO HOLLY ESTÁCIO
ESTRANHA LOUCURA
EU APENAS QUERIA QUE VOCÊ SOUBESSE
FACE A FACE
FAZ PARTE DO MEU SHOW
FÉ CEGA, FACA AMOLADA
FEIA
FEIJÃOZINHO COM TORRESMO
FIM DE NOITE
FITA MEUS OLHOS
FOI ASSIM
FOTOGRAFIA
GUARDEI MINHA VIOLA
HOMENAGEM A VELHA GUARDA

IDEOLOGIA
ILUMINADOS
JOU-JOU BALANGANDANS
LAMENTO NO MORRO
LINDO BALÃO AZUL
LINHA DE PASSE
MALUCO BELEZA
MANHÃS DE SETEMBRO
MANIA DE VOCÊ
MEDITAÇÃO
MEU DRAMA
MINHA RAINHA
MORRER DE AMOR
NOSTRADAMUS
O POETA APRENDIZ
O TREM DAS SETE
OLHE O TEMPO PASSANDO
ORAÇÃO DE MÃE MENININHA
PEDAÇO DE MIM
PEGUEI A RETA
PELO AMOR DE DEUS
PERIGO
POXA
PRANTO DE POETA
PRECISO APRENDER A SÓ SER
PRELÚDIO
PRELÚDIO Nº 3
PRO DIA NASCER FELIZ
QUALQUER COISA
QUANDO O TEMPO PASSAR
RANCHO DO RIO
RATO RATO
RENÚNCIA
RIO DE JANEIRO (ISTO É MEU BRASIL)
SAUDADE QUERIDA
SEM PECADO E SEM JUÍZO
SENTINELA
SEPARAÇÃO
SEREIA
SERENATA DA CHUVA
SOL DE PRIMAVERA
SOMOS IGUAIS
SONHOS
SORRIU PRA MIM
TELETEMA
TODA FORMA DE AMOR
TODO AZUL DO MAR
TRISTEZA DE NÓS DOIS
UM SER DE LUZ
UMA JURA QUE FIZ

VOLUME 10

A LUA QUE EU TE DEI
A MULHER FICOU NA TAÇA
A TERCEIRA LÂMINA
ACELEROU
ALVORECER
AMAR É TUDO
ASSIM CAMINHA A HUMANIDADE
AVE MARIA DOS NAMORADOS
BLUES DA PIEDADE
BOM DIA
BYE BYE BRASIL
CALÚNIA
CASO SÉRIO
CHORANDO BAIXINHO
CHUVA
CIGANO
CIRANDEIRO
CLUBE DA ESQUINA Nº 2
COISA FEITA
COR DE ROSA CHOQUE
CORAÇÃO VAGABUNDO
DEUS LHE PAGUE
DEVOLVA-ME
DIVINA COMÉDIA HUMANA
DOM DE ILUDIR
É DO QUE HÁ
É O AMOR
ENTRE TAPAS E BEIJOS
ESPERANDO NA JANELA
ESQUADROS
ESTE SEU OLHAR
ESTRADA AO SOL
ESTRADA DA VIDA
EU VELEJAVA EM VOCÊ
FEITINHA PRO POETA
FEZ BOBAGEM
FORMOSA
FULLGAS
GOOD BYE BOY
INFINITO DESEJO
IRACEMA
JOÃO VALENTÃO
JUÍZO FINAL
LANÇA PERFUME
LATIN LOVER
LEÃO FERIDO
LUA DE SÃO JORGE
LUZ E MISTÉRIO
MAIS FELIZ
MAIS UMA VALSA, MAIS UMA SAUDADE
MALANDRAGEM
MENTIRAS
METADE
METAMORFOSE
MINHA VIDA
MINHAS MADRUGADAS
NÃO ME CULPES
NÃO TEM TRADUÇÃO
NAQUELA ESTAÇÃO
NÚMERO UM
O QUE É, O QUE É
O QUE TINHA DE SER
O SONHO
O TEMPO NÃO PARA
OBA LA LA
ONTEM AO LUAR
OURO DE TOLO
PARTIDO ALTO
PAU DE ARARA
PEDACINHOS
PELA RUA
PENSAMENTOS
PODER DE CRIAÇÃO
POR CAUSA DESTA CABOCLA
POR ENQUANTO
POR QUEM SONHA ANA MARIA
PORTA ESTANDARTE
PRA QUE DINHEIRO
PRAÇA ONZE
PRECISO DIZER QUE TE AMO
PRECISO ME ENCONTRAR
PUNK DA PERIFERIA
RAINHA PORTA-BANDEIRA
RESPOSTA AO TEMPO
RIO
SE...
SEI LÁ A VIDA TEM SEMPRE RAZÃO
SENTIMENTAL DEMAIS
SERENATA DO ADEUS
SINAL FECHADO
SÓ PRA TE MOSTRAR
SOZINHO
SUAVE VENENO
TRISTE
VALSA DE REALEJO
VIAGEM
VILA ESPERANÇA
VOCÊ
VOU VIVENDO